옛날에는 사는 게 다 그래

가사마을 어르신 네 분의 살아온 이야기

일러두기

  1. 이 책은 구술하신 어르신의 사투리 표현을 가급적 그대로 살려서 표기하였습니다. 사투리 표현 자체에도 지역 어르신의 삶의 정서와 정신이 녹아 있기 때문입니다. 다만 독자의 이해를 돕기 위해 어려운 사투리 표현에는 괄호( ) 안에 표준어를 넣었습니다. 또한 어르신이 생략한 말들 중에서도 매끄러운 전달에 필요한 말은 괄호 안에 넣었습니다.

  2. 구술자 이름과 사진, 나이를 맨 앞에 배치하였고 구술 내용에서는 별도의 이름은 쓰지 않았습니다. 답변 내용은 모두 해당 구술자의 답변을 옮겨 적은 거라고 보시면 됩니다. 강장원 님의 구술 답변 중 후반부에는 아내 분의 답변이 여러 차례 나옵니다. 그 경우에는 답변 앞에 '○(아내)'라고 표기하였고, 강장원 님의 답변이 바로 이어지면 '강'이라고 구분하였습니다. 또한 면담자들(류판식, 정병진, 박명자)의 질문에는 질문자의 이름을 따로 넣지 않았고 네모(□)로 질문임을 표시하였습니다.

  3. 이 책은 2022년 마을공동체 만들기 활동 지원사업 보조금으로 제작하였습니다.

소라면 가사마을 유래(由來)

　가사리 마을은 일제강점기 (주)고뢰(高瀨, 다카세)농장이 큰가사리와 소백초 마을 사이에 764M의 둑을 쌓아 간척지를 만든 1922년경에 형성되었다. 이 간척 사업으로 본디 갯벌이던 곳에 수백 만 평의 들판이 새로 생겨났다. 그러자 당초 전주에서 마륜에 내려와 살던 전주최씨(全州崔氏) 일가가 큰 가사리로 가장 먼저 들어가 살았다. 그 다음 남평문씨(南平文氏), 연안차씨(延安車氏), 곡부공씨(曲부孔氏) 등이 차례로 이주해와 마을을 이루었다. 현재 큰 가사리는 '가사마을'에 속한 3개 마을 중 제일 큰 마을이다.

　　큰 가사리가 마을을 형성한 뒤 당초 오룡으로 넘어가는 높은 산비탈에 주씨(朱氏), 정씨(鄭氏), 최씨(崔氏), 문씨(文氏) 등 네댓 집이 지금의 작은 가사마을에 들어와 살기 시작하였다. 그런 뒤 아래쪽 평지에도 백일선(白日善)을 비롯한 몇 집이 들어와 자연스레 동네를 이루었다. 셔틀러 다육식물원 부근의 농곡마을은 김씨(金氏), 서씨(徐氏), 신씨(申氏), 임씨(林氏) 등이 차례로 들어와 작은 마을을 이루었다. 지금은 빈 집이 두어 채 생겨난 상태이고 다섯 가구가 모여 산다.

　　'가사리'란 마을 이름은 이곳이 본디 해변가라 아름다운 모래밭이 길게 뻗어 있어 붙인 이름으로 알려졌다. "모래가 아름다운 마을"이란 의미로 아름다울 가(佳)자와 모래사(沙)자를 써서 가사리(佳沙里)라고 부르게 된 것이다. 또 다른 일설로는 마을 뒷산이 개(개)같이 생겨 개사리(개沙里)라 했다고도 한다. 가사마을 중 하나인 '농곡'은 농사짓는 사람들 만이 모여 사는 골짜기라는 뜻에서 농사 농(農)자 골곡(谷)자 를 써 농곡(農谷)이다.

발간사

여수어깨동무사회적협동조합에서 우리 소라면 가사마을 어르신 네 분을 모시고 구술 자서전을 발간하게 된 것을 진심으로 축하드립니다. 고령의 나이에 자신의 삶을 반추하면서 때로는 기쁨과 즐거움, 때로는 슬픔과 아픔 등 삶의 모든 순간들을 기억의 저편에서 끌어올리는데 무척 힘든 과정을 거치셨으리라 생각됩니다.

군산 출신으로 70년대에 여수 남해화학에 입사해 퇴직하시고 현재 가사마을 노인회장을 맡고 계신 강장원 님, 여천동 화산마을에서 태어나 20세에 가산마을로 시집을 와서 지금까지 살고 계신 정옥자 님, 율촌면 출신으로 19세에 혼인해 줄곧 가사마을에서 농사를 지으며 살고 계신 지정자 님, 안타깝게도 별세하셨지만 소라면 대포마을 출신으로 일제강점기, 6.25 전쟁 등을 겪으며 살아오신 김점심 님까지 한 분 한 분의 소중한 일대기를 책으로 만나며 우리의 아버지 어머니의 삶을 간접적으로 겪고 아픔을 이해할 수 있는 시간이 되리라고 믿습니다.

대한민국의 수많은 역동적인 역사 속에서 힘겹게 살아온 어르신들의 이야기는 우리 젊은 세대가 살아가면서 배워야 할 역사라고 생각합니다. 그 삶의 자취야말로 개개인의 역사일 뿐만 아니라 마을의 역사, 나아가 우리의 역사 그 자체이기도 합니다.

우리 소라면 가사마을 어르신들의 살아온 삶의 이야

기, 사회적 전기를 채록하여 기록한 이 자서전이야말로 지금 우리가 느끼고 배워야 할 많은 내용이 담겨있으리라 생각됩니다. 그리고 그 이야기를 접하기에 앞서 벌써부터 가슴이 아려오고 애잔한 그 무엇인가가 마음에 잔상으로 남는 듯합니다.

끝으로 어르신들의 자서전을 편찬하기 위해 많은 노력을 아끼지 않으신 여수어깨동무사회적협동조합 정병진 대표님께도 감사드리며, 소중한 삶을 살아오신 네 분의 숭고한 정신이 후대에 깊은 감동으로 전해져 우리 소라면민의 소중한 자산이 되길 기원합니다. 감사합니다.

2022년 11월

소라면장 황순석

들어가는 말

    2022년 임인년(壬寅年)이 이제 한 달 남짓 남았습니다. 한 해를 갈무리하는 이 시기에 저희 (여수어깨동무사회적협동조합)는 금년 한 해 동안 마을공동체 활동 사업의 하나로 실시한 가사마을 어르신 네 분의 구술 생애사를 채록해 책으로 엮어 내기에 이르렀습니다. 처음 참여한 사업이라 아직 서툴고 미진한 대목들이 눈에 띕니다. 이는 앞으로 더 다듬고 채워 가야 할 과제라 봅니다.

    소라면 가사마을은 여수 시내 근처에 위치한 시골마을입니다. 지금은 가까운 죽림지역 택지 개발이 한창이라 가사마을에도 시내에서 이사 들어오는 분들이 조금씩 생겨나는 중입니다. 하지만 주민 대다수는 70세 이상 연로하신 분들이고 농사를 지으십니다. 우리는 가사마을 어르신들이 세월이 흐르면서 돌아가시기 전에 그 소중한 기억을 채록해 후세에 전승해 보고자 이번 사업을 제안하였습니다.

    구술 생애사는 한 개인의 살아온 내력일 뿐더러 그 자체가 마을의 역사와 문화에 해당하기도 합니다. 비슷한 시기에 같은 마을에 살았다고 해도 사람마다 삶의 경험과 기억은 다릅니다. 사람 얼굴이 모두 다르듯이 삶의 이야기도 그 빛과 색채가 다양하게 마련입니다. 어떤 분에게는 무척 중요한 일이 다른 분들에게는 주목거리가 아닐

수도 있습니다. 하지만 그 다채로운 살아온 이야기가 한데 모여 한 마을의 역사, 나아가 한 지역사회의 문화와 역사의 소중한 단면을 보여주는 전통 유산이 되기도 합니다.

우리는 지난 1월 첫 사업 회의를 시작하여 최근까지 선견지 답사와 구술 생애사 채록 교육, 구술자 선정, 면담과 채록, 책 편집 작업에 골몰하였습니다. 다른 사업들도 마찬가지이겠지만 하나하나가 쉽지 않았습니다. 가령 그리 어렵지 않으리라 예상했던 주민 구술자 선정부터 만만치 않았습니다. 구술 생애사 채록을 하려면 어르신들과의 관계 형성이 우선되어야 함을 새삼 실감하였습니다.

우여곡절이 있었지만 마침내 가사마을 어르신 네 분의 구술 생애사를 책으로 펴내게 되어 흐뭇합니다. 귀한 시간을 내어 기꺼이 참여한 분들과 마을 주민들의 협조가 있었기에 가능한 일이었기에 도움을 주신 모든 분께 감사드립니다. 구술자로 참여한 김점심 어르신은 애석하게도 지난 7월 25일 별세하였습니다. 올해 몸이 많이 편찮으셔서 생애 전체를 채록하진 못했지만 생애 초반 기억이나마 책에 담아 다행스럽습니다. 앞으로도 이런 채록 사업이 더 이어져 아직 미처 참여 못하신 마을 어르신들 살아오신 내력도 기록으로 남긴다면 더욱 좋겠습니다.

여수어깨동무사회적협동조합
이사장 정병진

차례

일러두기 ·· 2

가사마을 유래 ·· 3

발간사 ·· 5

들어가는 말 ··· 7

정옥자 님(82세) ···································· 10
“돌아보니 후회할 것 별로 없는 삶이더라” ····· 11

지정자 님(75세) ···································· 99
“섭섭하고 뿌듯해도 삶은 계속된다” ··········· 100

강장원 님(73세) ·································· 182
“작지만 확실한 행복을 누리기까지” ············ 183

김점심 님(92세) ·································· 269
“나의 삶이 이곳의 역사” ···························· 270

가사마을과 구술한 어르신들 ················ 294

소가사마을

정옥자 님(82세)

"돌아보니 후회할 것 별로 없는 삶이더라"

친구들 다 떠나고 나만 남았어

□ 어르신, 죄송합니다만 지금 연세가 어떻게 되십니까?

　올해 여든 둘.

□ 저 아래 '김점심' 어르신 다음으로 이 동네에서 오래 사신 거죠?

　요 밑에 슬라브집, 구십 한 살 먹은 할머니가 지금 요양원에 있어. 큰 마을(큰 가사마을)에 가면 저쪽 돌아서 조금 가면 집이 나오는데 그 집 할머니가 나보다 더 나이 많아요.

□ '정옥자' 어르신은 고향이 어디신가요?

여기 여천 화산동이 고향이야. 죽림에서 좀 넘어가면, 자동 넘어서 거기를 화산이라 그랬지. 지금은 없어져버렸지만. 지금 노상 화산동은 화장동으로 이름이 바뀌었고. 옛날 집들을 싹 뜯었더라고. 다리 다 지어놓으니 외지 사람이 많이 들어와 살고, 지금 많이 변했어. 돈 있는 사람들은 자기들 편하게 땅 받아갖고 집 지어 실면서, 돈 없는 사람한테는 저기 또 어디로 나가라고 해서, 다 흩어졌어.

☐ 그러셨군요. 그 화산동 무슨 마을이에요? 마을 이름이?

그냥 화산동 화산마을이라 그랬는데….

☐ 옛날에는 사람들이 많이 살았죠?

그 동네 사람들만 살 때는 많이 살았지만 이제 집을 뜯어놓은 뒤로는 타지 사람이 많이 얻어서 살아. 화치 같은 사람들, 그 마을 사람들이 거기 와서 살고 그래.

☐ 그때 화산마을에서 같이 자랐던 친구들은 지금 생존해계셔요?

다 죽었지. 또래는 다 죽고 몇 명 살아있는지 잘 몰라. 나보다 한 살 덜 묵은(먹은) 동생들 둘 지금 살아있고 나 살아있고,

그런 정도지.

　□ 고향 친구들이 가장 의지가 되셨을 텐데, 그분들이 먼저 가셔서 좀 외로우시겠네요.

　친구들, 보고 싶지. 이렇게 다 출가해 살면서 서로 만나기도 어려웠는데….

온 가족이 모여앉아 가마니를 짰어

　□ 그러시구나. 형제간이 어떻게 되세요?

　2남 3녀.

　□ 2남3녀 중 몇째이신가요?

　오빠 둘 있어. 내가 딸로서는 큰딸이고 오빠 둘에 내리 딸만 셋이여. 오빠들도 가불고(세상 떠났고), 우리만 남았어.

□ 아이고, 그러시군요. 어렸을 때 사셨던 화산마을(제가 잘 몰라서 그러는데요)은 어떤 모습이었나요? 지금 모습 말고 옛날에 어르신 사셨을 때 마을이 어땠어요?

여느 동네처럼 생겼지. 동네가 상당히 컸어.

□ 몇 가구나 있었는데요?

모르겠어. 몇 가구나 있었는지는 몰라도, 동네는 꽤 컸어.

□ 그때는 여수 시내도 없었고 다 그랬을 거 아닙니까?

없었지. 여수로 가는 길도 멀었어. 옛날은 가마니 떼 갖고 먹고 살았응께, 사내끼(새끼줄, 짚으로 꼬아 줄처럼 만든 것)로 가마니 떼 갖고 새벽에 길을 나서서 장에 걸어갔어. 그놈(가마니)을 이고 여수로 걸어가서 팔고는 또 걸어서 돌아왔지.

□ 동네 사람들이 가마니를 짜서 먹고 살았군요.

응, 그때 그 동네는 다 가마니를 많이 짰어. 그 동네 사람들이 주로 그래서 여수 와가지고 장이 서면 가마니를 장에서 팔고 그랬지. 장에 가면 갖다 (가마니를) 먹이는 데가 있어요.

부둣가에 선창 같은데 그런 데 가면 가마니를 많이 써요.

　□ 그러면 어르신의 아버님, 그러니까 어르신의 부모님도 가마니 짜는 일을 하셨겠네요? 농사짓고 가마니 짜시고?

　그 마을에서는 어린애들도 조금 크면 다 가마니 짜고 그랬어. 조금 일을 할 수 있는 나이 되면 무조건 했지. 일고여덟 살만 먹으면 가마니 짜야 했어.

　□ 그러면 지금도 가마니 짜는 거는 잘 하시겠네요? 어렸을 때부터 하셨으니.

　옛날에는 '가마니 짜기 대회'도 나가고 그랬어.

　□ '가마니 짜기 대회'가 있었어요? 그 마을 사람들이 1등 했겠네요? 1등 한 사람은 상으로 뭘 받았습니까?

　'입덕'에서 소질 있는 애들이 나가면 1등 했지. 근데 뭘 받았는지는 기억이 안 나.

□ 아! '입덕'이 화산마을이에요?

지금은 화산동이라 그러지? 그때는 '입덕'이라 그랬어.

□ 어렸을 때 입덕은 부자도 많고 그러다는 이야기를 들었어요.

그 동네 사람들은 가마니 짜서 팔아 살았고, 전답 많은 사람들은 부자고 그랬지. 부자들은 머슴 들여놓고 살았어. 우리 집도 들이 넓은 편이었어.

□ 어르신 부모님들도 농사를 크게 지으셨어요?

논도 있고 밭도 많고 그랬지.

□ 부잣집 따님이셨네요?

부자는 아니고. 먹고는 살았지.

나를 아껴주신 할머니가 생각나

□ 그때는 그 정도만 돼도 꽤 잘 사는 사람 아니었어요? 옛날에는 농사지을 자기 땅조차 없는 사람이 많았으니.

할머니가 계신께로 옛날에 궂은 밥을 안 먹어봤어. 근데 할머니가 자식욕심이 많은 분이어서, 우리 어머니가 어쩌다 아기를 낳아서 따박따박 걸음마를 할 때 친정으로 데려갔다가 아기들이 죽거나 그랬으면, 돌아오실 때 무릎 꿇고 오셨다고….

□ 아까 '2남 3녀'라고 그러셨는데 형제들이 더 있었네요?

겁나게 많았지. 그 언니들이 살아 있었으면 (나보다) 열 살도 더 먹은 분도 있을 거야. 내 위로는 딸이 넷 있었다고 해. 다들 세상 떠나셨어.

□ 아이고야, 세상에!

그래서 어른들이 친정에 애들 가면 죽고 그러니까, 나중 엔 데리고 갔다 와라, 허락하지 않으셨어. 그래서 우리는 외갓

17   정옥자 님

집을 모르고 자랐어.

　□ 그러니까 할머니가 손자들에게 무슨 안 좋은 일 생길까
봐 외가를 못 가게 했군요.

　우린 그냥 딸들이라 고생만 했지.

　□ 그러면 어르신의 어머님이 참 고생 많이 하셨겠네요?

　고생 많이 했지.

　□ 애를 그렇게 넷이나 잃으셨는데 얼마나 가슴이 아프셨을
까요?

　우리 할머니는 당신이 바느질해서 옷을 만들어도 재봉틀
집에 안 가셨어. 당신이 손수 했어. 손수 천을 잘라갖고 바느질
했는데 재봉틀 로 한 것보다 더 솜씨가 좋아. 그렇게(그러니까)
내가 시집을 올라 헝께(오려고 하니) 삼베적삼, 모시적삼, 명
베적삼, 겨울옷 그런 거 다 할머니가 손으로 해주셨어. 나 시집
가는 것을 다 할머니가 했어.

□ 할머니한테 기술을 잘 배우셨나 봐요? 사랑도 많이 받으시고.

　　사랑 많이 받았어. 내 밑에 여동생들이 있어도 그 애들은 아기 축으로 안 치셨어. 그 애들도 애긴디.

□ 어르신의 돌아가신 언니들, 그러니까 아기였을 때 돌아가신 언니들 있잖아요. 그분들은 병으로 돌아가신 거예요? 어떻게 된 거예요?

　　왜 그러는지 모르는데, 외가에 가기만 가면 아파서 죽고 그러더래. 그 집만 가면 갑자기 밤새 아파갖고 그냥 죽어불고 죽어불고 그랬대. 그러니까 그쪽으로 갈 게 못 된다 생각해서 할머니가 친정을 못 가게 한 거였어. 엄마가 우리 키우면서는 친정을 못 갔어. 애기들이 자꾸 그렇게 죽는디, 어떤 어른이 거기를 선선히 가라 하겠어? 내가 열몇 살쯤 먹었을까? 그때 우리 외할아버지가 돌아 가셨는디 아버지 상복 삼베를 내가 갖고 갔어. 근디(그런데) 아이고, 어두워지려고 해가 떨어지니까 평소 할머니 옆에서만 살다가 도저히 (외가에서) 못 자겠더라구. 밥도 안 먹고 물도 안 먹고 울고 있었지. 그때 아버지가 "캄캄한데 너네 집에 가려면 가거라"고 그랬어. 화치인디 근데 꼴창(골짜기)이 무섭잖아? 몬당 그런디. 그래서 거기서부터 빨리 달리(달려)갖고는 집에 온 거야. 온께는 할머니가 놀랐지.

그 밤에 아기 혼자 보냈으니. 그래 갖고 우리 아버지가 초상 치르고 와갖고는 얼마나 할머니한테 소리를 들었는지! "그 먼 데서 제 새끼를, 아기를, 혼자 보낸 것들이 어디 있느냐, 그래 갖고느그는 밥 먹고 잠잤냐?"고 아버지가 크게 혼났어.

□ 할머니 좀 무서우셨는가요?

무서웠어. 우리 할머니가.

□ 오빠 둘, 딸 셋, 부모님 그럼 일곱에다가 할머니까지 여덟 식구가 쭉 사셨나요?

그때는 할아버지도 계시고 할머니도 계시고 그랬어.

□ 할아버지까지 아홉 식구였군요. 그때 집 구조는 어땠어요?

방 세 개고 뒤에 또 뒷방이 또 있었어. 가마니 없는 방이 또 하나 있고 그랬지. 불 들어가게 해서 따셨어(따뜻했어).

□ 가마니 없는 방이 따로 있었군요.

가마니 짜는 일은 아무 데서나 못해. 여름에는 서늘한 그늘에서 짜지만 겨울에는 불을 넣어놓고 방에서 짰어.

그 시절에도 여러 '놀이'를 해봤어

□ 그러시구나. 어르신 어렸을 때 요즘으로 말하면 학교 들어가기 전에…?

학교도 안 가봤어.

□ 그러면 학교 들어가기 전에 요즘 말하는 유치원생 정도 그 나이 때는 친구들하고 무슨 놀이 하고 놀았어요?

놀 시간 없었어. 시간 나면 사내끼(새끼) 꼬고 밥숟가락 놓으면 사내끼 꼬고 또 때가 되면 가마니 짜고….

□ 아니 일고여덟 살 때부터 일을 하셨다고요?

열 살 남짓 때부터 우리 동생들하고 밤낮으로 가마니 짰어. 오늘 짜면 한 삼사십 개씩 짜야만 내일 장으로 그걸 가지고 갈 수 있었으니까.

□ 가마니라는 틀이 있죠?

맞아요. 틀이 있어요. 나무로 짠 틀.

□ 그러니까 그 틀에 앉으면 그거 하나가 나오기까지 온 식구가 달라붙어서 했군요.

그럼, 길쌈하듯이 했지. 그것이 목적이여. 남자들은 저 먼 데까지 가서 짚을 져 나르고 그랬어. 짚 사러 가면 또 마중 가는 사람도 있고 그랬지.

□ 그래도 애기였을 때 친구들하고 고무줄도 하고 그러지 않으셨어요?

□ 그런 건 해봤지. 사방치기도 하고 방돌이도 하고.

□ 방돌이요? 그게 뭐예요?

사람이 돌아가면 맞추는 거. 공 같은 거 만들어서 사람이 돌아가면 맞추는 거.

□ 그걸 방돌이라고 했군요. 뭔지 알겠어요.

자치기도 하고 안 해본 것 없이 해봤어. 그러니까 설이나 보름에 놀 때 그런 놀이를 했지. 그렇게 놀 때는 집에 와서 밥 먹을 시간도 없어. 6월 유두(流頭) 있고, 7월 백중(百中) 있고, 8월 (한)가위 있고…. 설에도 놀고 보름에도 놀고…. 지금은 7월 백중, 6월 유두를 안 해도 되지만 옛날에는 유두 해갖고 밭으로 논으로 전답에 밥 묻으러 댕기고 그랬지. 밥 묻으면 아무 데서 만나자고 그래갖고, 인자 친구들끼리 서로 짜갖고는 어디 나무 밑에 그런 데 가서 노는 데가 있어. 거기 가서 만나갖고 이제 그놈(밥) 묻고 까먹고 그래.

□ '밥을 묻는다'는 말이 뭔 말이에요?

농사 잘 되라고 여왕님한테 가서 물기에다가 호박잎 싹을 따서 골고루 놓고는 그거를 호미 가지고 와서 반찬을 묻어. 밭에도 그러고.

23 정옥자 님

□ 옛날에는 제사 모시고 나면 물밥을 논에 가서 먹고 그랬다더니 입덕에서는 실제로 그랬나 보군요.

맞아, 맞아. 논에도 가면 먹고 또 밭에도 가서 먹고 그랬어.

□ 옛날에는 농약이나 비료 같은 걸 하지 않다 보니 농사에 그만큼 정성을 들이느라 그랬군요.

메로(멸구) 같은 거 있잖아. 옛날에는 단지 메로가 있고 시세 벌레 대곡 묵어 들어가는 그거 있고, 또 '더위'라고 돌(?)이 막 주저앉는 구병이 있어. 그런데 메로가 있으면 뭘 (방제) 하냐 하면 기름을 병에다가 채워. 그 속에서 대막대기를 구멍 뚫어서 남자들 앞에 가면 여기서 저만치 가서 한 방울 딱 떨구면(떨어뜨리면) 기름이 탁 퍼지잖아. 그러면 이제, 옛날에 밥 담으면 그런 걸 갖고 인제 꼬랑꼬랑(고랑고랑)에 여기서 저만치 사람 사이로 해갖고 물로 찌크러(흩뿌려). 찌크르면 그게 약이지 뭐. 그러면 떨어져서 기름과 똘똘 뭉쳐졌지.

□ 옛날에는 벼멸구가 왔을 때 농약이 없으니까 기름으로

방제를 하였군요. 무슨 기름으로 하셨어요? 석유?

석유는 아니야. 석유는 냄새가 나니까. 요즘 경유 그런 거였는가 봐. 딱 한 방울 한 방울 떨궈 놓으면 그냥 물살에 탁 풀려. 그러면 멸구가 내려오면 그 기름과 멸구가 똘똘 뭉쳐지고 그랬어.

□ 너무 고생을 했네요.

옛날에는 다 고생하면서 농사지었지. 지금은 갈수록 편하게 지어. 돈만 주면 (무인) 비행기가 농약도 쳐주고.

나를 여읜 뒤에 곧 돌아가신 할머니

□ 그러면 어르신이 시집 갈 때까지 할머니가 살아계셨고 부모님도 꽤 오랫동안 사셨고 그러셨나요?

내가 동지에 시집을 왔는데, 우리 할머니가 설을 쇤 정월에 돌아가셨어. 설 지낸 지 한 달도 안 돼 돌아가셨어.

□ 엄청 슬프셨겠네요. 할머니가 어르신을 그렇게 예뻐하셨는데.

어머니랑 할머니가 보고 잡잖아? 할머니가 보고 싶어 환장하겠더라고. 우리 큰 집 여기서 보면 우리 동네 앞산 무승산이 보여. 막 눈물이 나고 그냥 그랬어. 앞산 무승산, 무승산이 아주 높아요. 시집 와서 일주일이나 됐을까. 해가 지고 이제 비는 자꾸 와서 마루를 닦는데 무슨 소리가 나더라고. 우리 큰오빠가 어찌나 보고 싶었는지 어둑어둑한데 그러고 쫓아왔어. 여기로. 얼굴을 보고 간다고. 그래 갖고 내가 봉께(보니까) 얼른 돌아서서 가불더만(가더구먼).

□ 그 시대는 그렇게 또 찾아가기도 쉽지 않고 그랬지요?

만나도 못하지. 동생을 시집을 보내놓고 얼마나 보고 싶었으면 밤에 쫓아왔을까….

□ 그때도 막 눈물 나셨겠네.

아이고, 얼마나 울었는지. 오빠도 울고 나도 울고, 그때는 막 여기 돌아서 집들이 있었어.

□ 근데 좀 멀리 시집으로 오셨나 봅니다.

그리로 우리 할머니가 안 보내려고 그래. 왜냐하면 시어머니도 없고 동생 밑에 시집살이 한다고 안 보낼라 그랬어. 그러니까 우리 아버지가 거기를 정해갖고 여의 놓은께, 우리 아버지가 나 결혼식 하기 전에는 우리 집에서 발을 딛고 마음대로 댕기지 못했어. 할머니 땜에. 할머니가 고집 부려갖고. 시어머니도 없는 곳으로 자식 여읠라고 한다고 못 마땅해하셨거든. 우리 할머니가 "쑥떡장수를 해도 부모 있어야 낫지, 동생 자식 주느냐?"고 악을 쓰고 야단해도 뭐 소용도 없었어. 그런 시집에 들어왔는디 동생이 모락스러웠고(모질고 억센 데가 있다). 이 근처 사람은 다 알아. 이 근처(관기, 마륜 이런데)는 다 알아. 그래 갖고우리 할머니가 나 시집 보내놓고 화병이 나서 죽었다고 하면서…. 초상이 나서 가니까 동네 사람들이 다 그래. "너 여의워 놓고 할머니가 화병으로 죽었다"고.

□ 정말로 그랬겠어요? 그냥 안타까워하는 말이었겠죠. 그런데 어르신은 이제 태어나신 때가 일제강점기, 일정 때지만 태어나신 뒤 금방 해방이 됐지 않습니까? 그래서 일제 치하의 고생은 별로 겪지 않았겠군요.

몰라. 하지만 여순 난리, 그런 것은 다 알지. 북한 사람들, 막 피란민들 막 넘어오고. 그땐 나도 솔찮이 (꽤 많이) 컸어. 일고여덟 살이나 먹었을까, 그때 그것들은 뭐 껌을 받아갖고는 전방 가서 막 과자 사다 팔고 그러니까 동네 사람들이 뭐라고 뒷말 하고 그랬어.

□ 미군 구호물자인 껌을 팔았던 건가요?

껌도 사다가 팔고 과자도 사다 팔고 사탕도 사다가 팔았어. 그래서 동네 사람들이 쫓아내려고 그랬지. 왜 그러냐 하면 동네에는 그런 먹을거리 파는 장소가 없는디 애기들을 자꾸 홀리게 했어(꾀어냈어). 애들이 한 번 두 번 그러다가 어떤 애들은 자기네 집 미영(목화) 잣는 미영가락을 돌라다가(훔쳐다가) 팔아. 그 돈으로 껌이나 사탕 같은 걸 사먹고 그러니까 동네 사람들이 뭐라고 그러겠어? 그걸 파는 사람들을 쫓아내려고 했지.

□ 애들이 안 먹던 과자에 맛들이니까 문제가 생겼군요.

마을 어른들이 동네 회의를 해갖고는 "(그 장사꾼들을) 쫓아내야지, 이러다가 동네 망하겠다"고 야단이었지. 동네 근처는 전방(구멍가게)도 없는디 그런 것들이 들어와서 그런 게

로, 떼전 미영가락도 다 돌라다주고, 애기들이 저거 뭐야 삼베
잣아 놓으면 그런 가락도 돌라다주고 그랬으니까.

가마니 짜는 일은 꼭 힘들지만은 않았어

□ 1.4 후퇴 때 북한에서 배 타고 피난 온 사람들을 여수항에
풀었지요? 그분들이 이 마을 저 마을 여수에서 정해준 그런
데 들어가 살았어요. 그런데 그 분들은 또 살아남으려고 얼마
나 악착같겠어요? 어르신은 말하자면 딸로서는 맏이잖아요?
밑에 여동생들 둘이 있었고. 남자들이야 논과 밭에서 밭 갈고
그런 일을 다 하지만 어르신은 그때 여자이기 때문에 하는
일들을 하지 않았습니까? 집에서 빨래부터 시작해서 옷 수선
하고 그런 일들을 어머님한테 배우잖아요. 그런 일을 하면서
도 일곱 살 때부터 가마니 짜는 일을 하셨던 거죠? 가마니는
여자들이 짠 건가요?

아냐, 가마니 짜고 사내끼(새끼) 꼬고 그런 일은 남자들하
고 똑같이 했지.

□ 하루 저녁에 30개, 40개 가마니를 짜려면 엄청 힘들었을 것 같은데 어땠습니까?

하루에 매일 남자들, 여자들이 한 집에서 가마니를 짰어. 남자들은 30개 가마니를 짊어지고 여자는 20개 가마니를 머리에 이고 그렇게 해서 여수로 걸어서 가야 해. 그러니까 그놈 (가마니)을 짜내려면 아직 이른 새벽부터 짜면 저녁 12시가 되도록 짜서 내놔야지. 그거 짜려면 밥 먹을 시간도 없어.

□ 그거 아주 징글징글하겠는데요?

그래도 재미져. 형제들과 앉아서 얘기하면서 일하니까. 막 힘들고 그러면 노래도 부르고 그러면서…. 그거 하면 재미 져.

□ 형제간끼리 앉아서 노래 불러가면서 일을 하셨군요. 그럼 그 당시 무슨 노래를 불렀어요?

기억이 잘 안 나. 일하다가 보면 어깨도 아프고 피곤하고 잠도 오고 그래. 그러면 이제 그런 거 쫓으려고 그렇게 노래도 부르고 했지.

□ 어르신은 할머니 사랑을 많이 받으셨잖아요? 할머니가 손주 위해서 옛날이야기도 많이 들려주셨을 것 같아요.

우리 할머니는 그런 이야기 같은 건 안했어. 노래도 잘 안 부르고. 일단 미영 자아서 길쌈 넣는 그런 거를 잘 하셨어.

□ 미영 자아서 옷감 만들고 하는 일은 꽤 기술이 있어야 하잖아요? 그건 아무나 하는 게 아닌데….

미영 좋은 놈, 미영 숭머리가 굵고 좋은 놈은 가는 머리카락 맹키로(처럼) 가늘기에 일곱 씩 여덟 씩 그런 배로 해놓으면 좋아. 배도 짜면 그리고 좀 궂은 미영을 갖고 해놓으면 닷새, 엿새 이런 걸 갖고 해놓으면 조금 오래 굽지. 좀 찰기가 작응께 (작으니까).

□ 그러니까 밭에서 심어서 거둔 미영으로 할머니가 짜준 베로 옷을 지어 입고 사신 거네요?

그럼, 베 짜는 것은 우리들이 하고 할머니가 옷을 만들어 주셨어.

□ 옷감을 재단해서 옷을 만드는 일은 할머니가 하시고요?

손바느질해서 옷을 만드셨지.

□ 그럼 그때 당시에 찍은 어르신 사진이라도 있어요? 한 장이라도?

없어. 사진이 어디 있어. 다 가이내들(여자애들)이 사진 찍으러 사진관에 갈 때 나는 우리 아버지가 무서워서 못 나갔어.

□ 아버지가 집 밖에 못 나가게 하셨어요?

가이내들 둘, 서이만 모여도 옛날에는 연애 건다고 못 나가게 해. 그래 갖고 학교도 안 보내고 그랬어.

□ 아이고 그러셨구나!

그러니까 아버지가 그렇게 미워죽겠어.

□ 그러셨구나. 그때 당시만 해도 초가집이죠?

다 초가집이지.

아버지 몰래 '콩쿨대회' 구경갔다가 들통나기도

□ 멀리 놀러 가보고 싶고 막 그러셨을 건데, 굉장히 답답하실 건데 어떻게 견디셨어요?

어디로 못 나가게 한께로. 전에 말하자면 콩쿨대회를 한다니까 요즘 같으면 현천 같은 데 관기 같은 데서 딴 가이내들은 다 가는데 나는 못 가.

□ 무척 답답하셨겠네요. 다른 집들은 다 가라고 보내줬나 보군요.

보내준 게 아니라, 즈그끼리 그냥 간 거여. 하루는 저 대통구라고 거기서 콩쿨대회를 하는디 가이내들이 "가자"고 나한테 사정을 하더라고. 친구가 옷을 빌려줘서 입고 갔어. 갔는디 가슴이 뛰엇싸서(두근거려서) 못 있겠어.

□ 아버지한테 들킬까 봐 그런 건가요?

곧 (아버지가) 알아버렸어.

□ 그때가 몇 살 때였나요?

열일곱, 열여덟쯤 먹었지, 아마.

□ 상당히 컸을 땐데 그때는 그래도 큰 용기를 내 갖고 가셨네요?

가긴 갔는데 가이내들이 뭐라고 하느냐면 "이거(콩쿨대회) 안 끝났을 때 얼른 돌아가야 된다"고 그래. "얼른 빨리 가야 된다" 그래. 왜 그러냐면 머시마들이 이제 중간중간 서서 자기네들을 잡은 게로 빨리 빠져나가야 한다고. 재를 넘어오는디 이 새끼들 머시마들, 그 동네 머시마들이라 아는 애들이 따라오는 거라. 그래갖고는 다 도망을 가고 그러는데, 그때 보리밭이 있었어. 우리 동네 한 애한테 내가 잽혔어. 잡혔는데 그게 알려져서 뒷날 바로 그냥 우리 아버지한테 소리를 얼마나 듣고 "니도 갔냐 안 갔냐?" 그래서 "안 갔다"고 그랬어. 그랬는디 이놈 가이내들 숫자를 찾아내라니까 불어버렸어. 그래서 아버지한테 혼이 한 번 나고는 다시는 그런 데에 나가보지도 안했네.

춤과 노래 즐기신 '훈장님' 아버지

□ 아버님이 뭐 술 같은 건 별로 안 하셨어요?

우리 아버지 술, 담배 잘하는데, 출입이 멀어. 집에서 일하는 사람이 아녀. 만날 두루마기 입고 춤추러 댕기지.

□ 집에서 농사짓고 이렇게 집 안 거들고 만날 외부로 돌아다니시고 그러셨군요. 아버지가 무슨 사업을 하신 건가요?

사업도 안 했어. 어디 주막에 가서 노래나 부르고 그랬어.

□ 본인은 그러시면서 따님들은 절대로 밖에도 못나가게 잡으셨군요. 아버지가 엄청 미웠겠는데요?

그렁께(그러니까) 정이 없어. 부모가 어찌 호랭이 맹키로(처럼) 우리 (무섭게) 잡은께.

□ 그럼 어머님이 아주 고생을 엄청 많이 하셨겠네요.

고생 많이 했지. 우리 집에 아랫방이 있어 갖고 또 저녁이면 아랫방에서 동네 사람들, 가이내들 우리 아버지가 글 갈쳤어.

□ 아버님이 글을 가르쳐요?

그럼, 그랬지.

□ 훈장님이셨는가요?

그 정도 돼.

□ 바깥출입도 하시고 그런 것이 글을 배우신 분이고 그래서였군요. 아버님이 마을에서 글을 아시는 분이셨네요.

우리 아랫방이 있어. 아래채가 있어서 그 방이 컸어. 거기서 이제 동네 어멈들 공부를 가르치는디, 거기 가고 자운디(싶은데) 위채에서 아래채를 못 오게 해. 그 사이 우리 어머니는 먹을 것을 해 나르느라고 고생하셨지.

　□ 그러니까 다른 마을 처녀들이나 총각들은 데려다가 가르치면서 정작 그러니까 따님은 안 가르쳤다, 이거예요? 진짜 아버님이 이상하셨군요.

　(글방에) 오도 못 오게 해. 미워 죽겠어. 돌아가셨어도 미워.

　□ 왜 그렇게 글을 안 가르쳐주려고 했답니까?

　아이고, 가이내들 공부 가르쳐놓으면 연애편지 쓴다고 안 가르쳐. 공부를 안 가르치려고 그래.

　□ 그러셨구나. 학교도 안 보내버리고 글도 안 가르쳐주시고….

　그러니까 우리 가이내들은 셋 다 학교를 안 가고 말았어.

　□ 그럼 오빠들은 학교 갔어요?

오빠는 다 초등학교도 졸업했지. 순천 내 손 밑 동생은 다섯 살 차인디, 몰라, 초등학교 3학년이나 4학년에 다녔는가. 그래갖고는 그래도 늙어갖고 대학 졸업하고 그랬어. 재작년에 졸업을 했다고 그래.

□ 어르신은 동생이 엄청 부러웠겠는데요?

이제 내가 배워서 뭐하겠어. 나이 먹어갖고. 인자 둔해져 불고.

□ 아니 오빠들까지 초등학교를 딱 보내셨네. 그럼 아버님은 한학을 하신 거예요? 아니면 저기 한글을 가르치신 거예요?

한글도 가르치고, 한문도 가르치고 그래.

□ 아버님 상당히 유식하셨는가 보네요. 그래도 동네에서.

전에 면장이 우리 아버지가 무엇을 줘서 "나는 각서를 받아 놨다" 그랬대. 그런데 면장이 "나는 안했다, 각서를 안 써줬다," 어쨌다는 거야. 우리 아버지는 혼자 누워서 가만히 생각하다가 저 비름박(바람벽)에 뭐 붙여놓은 게 보이더래.

그래서 일어나서 자세히 보니께 그 면장한테 받은 각서였어. 그래 갖고이제 그 각서를 뒷날 날이 밝았을 때 이래 가지고서 면으로 쫓아갔지. 쫓아가서 면장 멱살 잡고 몇 번 두드려불고는 그 면장자리에 일주일을 앉아있었어. 면장 쫓아내고. (아버지가) 상당히 센 사람이야.

아버지 별명 '일주일 면장'

□ 그러셨네요.

그래서 우리 아버지 별호가 면장이오. '일주일 면장.' 그러니까 잘못한 사람은 아뭇소리(아무런 소리)를 못하지.

□ 그런 일까지 있었군요. 그때 당시에는 시골에서 면장이 상당히 높았지 않습니까? 그런데 그 면장의 멱살을 잡을 정도이셨다니 놀랍네요.

누가 아무 말도 못하고 그랬어.

□ 동네에서 글을 쓸 일이 있으면 아버님이 다 맡아 하셨네요? 제사 드릴 때 지방 쓰고 이런 거 말입니다. 어르신의 아버님은 누구한테 글을 배우셨나요?

옛날에 할머니가 딸을 셋을 낳아놓고 우리 아버지를 낳으셨대. 딸을 셋을 낳으니까 아들 못 낳는다고 했는데, 그 다음 우리 아버지를 놓았어(낳았어). 그 다음에 우리 작은아버지 한 분 놓고 그러고 아들 둘을 다 낳고 막둥이 딸을 또 낳았으니까 딸이 넷, 아들 둘이 된 거라. 그러니까 우리 할아버지가 농촌 일꾼인데 귀한 아들이라 아들 둘에게는 흙을 안 묻히게 한다고 일을 안 시켜부렀어(안 시켰어).

□ 아, 어렸을 때 귀한 아들이라고 일을 안 시켰군요.

우리 작은아버지하고 우리 아버지하고 둘이 다 농사를 못해. "니 농사 못해라, 못해라," 그러면서 일을 안 시키고 일을 못하게 해버렸대. 일하는 방법은 다 아는데 뼈 빠지게, 뼈에 딱 배기게 일을 안 해봤어. 그래 갖고는 어정개비라, 어정개비('어정잡이'의 방언. 능력이 모자라 제 맡은 일을 처리하지 못하는 사람).

□ 어릴 때부터 귀하게 크셨군요. 그래서 옛날 양반처럼 집

에서 글이나 배우고 그렇게 자라셨나 봅니다.

그렇지.

싹싹한 큰딸, 일 잘하는 큰딸

□ 어린 시절 생각나는 재미난 일은 없으셔요?

암 것도(아무것도) 없어. 다 잊어불고.

□ 고생한 기억만 있으셔요? 그래도 일하시면서 가족들끼리 노래도 부르고 그러셨다면서요.

가마니 짜다가 밤으로 잠을 못 잘 때가 많아. 가마니 짜다 보면 내일까지 몇 개를 짜야 하는데 사내끼도 적지 그러면 사내끼를 더 꼬아야 돼. 그러면 딱 짚(지푸라기)을 찾아서 세워서 우지에 딱 물 찌크러(뿌려) 놓으면 부드러워져. 사내끼와 가마니 짜고 끝나면 그 자리에 그 짚 틈에 그런 거 갖다놓고 그러면 꼬아야만 뒷날 가마니를 짤 수 있어. 그렇게 여기(손바닥)가 닳아서 피가 질질 나고 그래. 사내끼 돌리는 부위, 여기

가. 여기(손바닥) 양쪽이 구덩이가 패였어.

□ 사내끼를 하도 많이 꼬다 보니까 그런 건가요?

짚을 요리(손바닥으로) 돌린께로. 참 그 재미로 헝께(하니까) 그랬는가 어쨌는가 허기 싫고 그러지는 않았어.

□ 어렸을 때 크게 아프셨거나 그러진 않으셨어요?

나는 아파보기는 안 했어. 근데 일이 되어(일이 힘에 벅차) 아프고 그래서 혹시 몸살이 나려고 그러면 "아픈 사람이 밥 먹는다" 할까 싶어서 아픈 티 안 내고 밥을 먹고 드러눕덜(눕지를) 못해. 한 번도 안 그래봤어.

□ 세상에나.

우리 동생들도 그래.

□ 엄마가 큰 딸을 많이 의지하였겠어요.

어머니가 밭에 가서 날이 저물 것 같으면 나(내)가 물 다 질러다 놓고 그랬어. 샘이 저 한쪽에 한참 가야 돼.

□ 샘이 얼마나 멀어요?

한참 멀어. 그러면 그 놈을 갖고 째간한(조그마한) 그런 거 갖고 일곱 사람이 먹을, 보통 그 정도 물을 (머리에) 이어 날랐어. 엄마 밭에 갔다 오면 힘드니까 엄마 물 길으러 안 보내려고 내가 대신 미리 길어다놓은 거야. 그렇게 물동이에 담아서 치렁치렁 해놓으면 엄마가 너무 좋아하셨어.

□ 새벽에 일어나갖고 물을 이렇게 길으러 가셨을 거 아니에요?

아니, 아칙(아침의 방언)에 밥해서 먹고 엄마가 밭에 가시면 그렇게 물을 길어놓고 그랬어. 정지(부엌)도 다 치워놓고 맷돌이를 이깃도 못하고 이놈을 보릿자루를 서서 엎져서(엎드려서) 맷돌질을 해갖고 보리로 죽을 쒀 놓은께 괜찮았는지 할머니도 죽그릇, 밥그릇을 쳐다보고 있고 울 어머니도 죽사발을 쳐다보고는 "야, 이걸 어떻게 갈았냐?" 그래. "팔이 짧은데 어떻게 맷돌을 돌렸냐?" 그거여. 째간한 거이(조그마한 애가). 그래서 "이러고저러고 했다" 한께로 "허지 마라, 그러다 큰 일 난다잉. 보드라운 뼈 다치면 큰 일 난다." 그래. 그러고 한 번 해놓은께 호구장군(개선장군?) 맹키로 또 허구 싶어서 또허구 그랬어. 또 한 번에는 도구통(절구의 방언)에 생보리 갖다 넣고 물 길러갖고는 또 드람(나뭇단)이 있어. 이 나무 드람 그놈을 엎어놓고 그거 올라서서 또 그놈을 찌(찧어) 갖고….

□ 그러니까 엄마나 할머니가 좋아하시는 거 그거 좋아해서 그렇게 하셨네요?

응, 또 허고 잡고 그래서 또 그놈을 풋돌(봉돌의 방언)로 찧고 갈아서….

□ 그래서 할머니가 더 예뻐하셨나 봅니다.

저기 동네 샘이 한 쪽에 있는데 그 동네 샘이 물이 어찌 좋은지 온 동네 다 먹어. 근데 (어릴 적 내가) 거기 가서 또 씻어갖고 이고 와서 밥을 해 놓으면 "무서워서 죽는다"(무서운 애라고)고 했어. 우리 할머니도 그러고. 우리 아버지는 인정머리가 없는 사람인지. "야, 이 가시내 새끼야 하지 마, 밥하지 마!" 그래. 그러면 우리 할머니가 "해준 거 주댕이로 쳐 묵지. 왜 애기 하는 것을 거시기하냐. 뭐, 뭐, 어디가 해로와서(해로워서) 못하게 하느냐"고 그러더라고. "애기들을 달래야지, 애기들에게 말을 저 따구(저 따위)로 한다"고 막 뭐라고 그러더라고.

□ 아버님은 말은 거칠게 했지만 어린 애가 너무 안쓰러워서 그렇게 말을 하셨겠죠.

그렇지. 째깐한(조그만한) 것이 그걸 했으니…. 그렁께로 사람이 어려서보텀(어려서부터) "송충이는 나면 솔잎을 묵으라"는 말맹키로(말처럼) 그 동네 살면 그 동네 하는 것을 다 배워야 됭께 애기 때부터, 째깐한 때부터 배워. 뱃속에서 가마니 짜는 거, 사내끼 짜는 거 그걸 배워갖고 나오가니(나오겠어?).

사내끼에 피가 묻곤 했던 까닭

□ 그러니까 시집 갈 때까지 그걸 계속 했네요?

암(그렇지), 사내끼를 꼬기 시작하면, 그냥 안 본 사람들은 와서 구경꾼 맹키로 차려 보고 앉았어. 짚 됐다면 올라가

불고 짚 됐다 하면 올라가 불고….

□ 가마니 짜는 속도가 그렇게 빨라요?

아니, 사내끼 꼬는 거. 한 삼십분 꼬면 줄을 이어갖고….

□ 사내끼 짜는 것도 정말 힘든 일인데…. 손으로 이렇게 비벼서 사내끼를 꼬다가 나중에는 기계가 나왔지요. 우리 집에도 새끼 꼬는 기계가 있었어요.

기계는 굵은 사내끼 꼬고 그럴 때. 집 지붕 이고 그럴 때 쓰는 거고. 그것은 돌리자고 틀어만 놓지 잘 꼬아지지 않아.

□ 그럼 가마니 짜려면 순전히 손으로만 해야 하는 거였군요.

가마니 짜는 것은 짚이 가늘잖아.

□ 그러니까 손으로 할 수밖에 없군요.

그러니까 (손을 비벼) 짚을 돌리다보니까 양쪽 여기가 구덩이 패여부러. 그래 갖고 피가 질질 나고, 사내끼를 짜고 나면 사내끼에 피가 벌겋게 묻어있고 그랬어.

□ 아 세상에, 그랬구나! 어르신 어렸을 때 동네에서 자라면서 제일 맛있게 먹어본 것이 뭐 있습니까?

맛있게 먹은 것도 없어.

□ 어렸을 때 먹었던 맛있는 것은 평생 못 잊잖아요.

여기서 커서 가이내들(가시내들)이 밤이면 수색이다가(수를 놓다가) 사내끼 꼬아놓고 수새기고 그랬어. 곧 시집간다고 책상보, 이불보 이런 거 수새기는 거야. 사내끼 꼬아 놓고 뒷날 할 거 꼬아 놓고 그 순간에, 어떨 때는 잠 한 시간도 자고 30분도 자고 그러고 잠도 그리 안 와. 그런 걸 하고 나면. 그러고 심심허면 "아이고 밥이나 먹자" 그러면 딴 집(다른 집)에서는 다 가서 밥을 해 먹어도 우리 집에선 못해 먹어.

□ 왜요?

아버지가 무서워서. 그리고 그런 짓을 못허게 허고 그렁께. 어른들은 큰방에서 잠을 자고 우리는 저 한쪽 뒷방에서 일하다가 밥을 해먹으니 (어른들은) 그러는 줄도 몰라.

□ 어른들은 이제 고단하니까 깊이 잠들어 몰랐는가 보네요.

지금은 전기밥솥이 있으니 괜찮을 거지만 그때는 불 때갖고 밥을 해 먹었잖아. "누구 밭에 가면 파가 쪽파가 있다, 누구 집에는 시금치가 있더라" 이렇게 해서 밤에 그런 것을 캐러 댕기(다니는 거야). 그런 거 캐다가 다 무치고 또 "누구네 집 가면 새우젓이 맛있더라 어쨌더라, 어디가 있더라" 이러고 즈그(자신들이)가 갈쳐줘. 자기네 집이 있다고. 그런 거 돌라다 가(훔쳐다가) 먹어. 노상 즈그네꺼 돌라다 먹는 거여. (웃음)

□ 그래도 친구들끼리 모여 앉아 갖고 그렇게 하면 재미있었 겠네요.

"우리 집에 가면 뭐가 있더라, 아버지가 있으니까 어디에 가서 가져 오너라" 그러고 다 갈쳐 준께(가르쳐 주니까) 그런 거 다 돌라다가 먹고 그랬더니 (그렇게 해서) 먹으면 그게 제일 로 재미있어.

□ 그러셨군요. 그러니까 어르신만 이렇게 가마니 짜면서 자란 것이 아니라 동네 친구들도 '다 당연히 그렇게 사는 거다' 이렇게 생각하고 컸는가 보네요?

다 그랬어. 다들 가마니 하나라도 더 짜려고 그러지 뭐 되다(힘들다) 어쩌다 그런 마음도 없고 그랬어.

□ 어르신 자라실 때는 라디오도 없었죠?

있었어. 갖고 댕기는 거. 여느 집들은 그런 거 갖고 댕기지도 못허고 뭐 집에 스피카 걸어주고 그랬어. 보통 집에서는 텔레비전(TV)가 있어 뭐 있어. 아무 것도 없었지.

□ 그러니까 그냥 라디오 듣고 일하고 그럴 수는 없잖아요?

그런 거 없어. 어디 라디오 들으면서 일허고 그러겠어.

□ 그러니까 긴 시간 동안 가족들이 매일 일을 하기 때문에 이야기 나눌 시간은 정말 많았을 것 같아요.

그때는 이야기할 시간도 없고 둘이 딱 짜갖고는 가마니 짤 때면 사람이 몇이 되든지 나머지는 사내끼 짜는 거여. 그냥 그러지 뭐 어디 어정어정 되다(힘들다)고 눕고 어디 그늘에 쉬고 그런 것이 없어.

여순의 불구덩이에서 살아난 작은 오빠

□ 그러면, 그 가마니 팔면 돈을 받아오잖아요?

돈 받아오지. 돈 받아오면 우리 올케가 가면 돈을 어찌했는지…. 뭐 먹을 거 좀 사다가 한 끼니 끓여먹으면 끝나고 돈도 못 얻어 못 봐. 큰 올케가 ○씨라. 그 오빠들 둘이가 저기 북한으로 넘어가버렸어. 북한 넘어가서 저거 저 뭐야 빨갱이가 돼버렸어. 그래 갖고○○서 못 살고 입덕으로 와갖고 시누네 집이 와서 사는데 거기 대밭이 영 좋은디 한번에는 경찰들이 오드만. 눈 부은 경찰들이 오드만(오더니) 대밭에 불을 질러버렸어. 그 집이 대밭에 불을 질렀어. (도망친 오빠들) 찾아내라고 해도 안 찾아내니께 즈그 어매, 즈그 아버지, 가족들 다 두드려 맞아서 만장신창이 되고 그랬어. 찾아내라고.

□ 여순 때였나 보네요? 여순 때였어요?

여수 난리 때도 그랬지만, 그 전에도 그랬어. 그 사람들이 그 집에 와서 빨갱이 된 자식들 찾아내라고 그랬어. 근데 뭐 (그 아들들이) 집으로 와야만 찾아내지. 근데 즈그는 안대. 즈그는 알아. 경찰이 어떻게 알았는지는 몰라도 (그 집 아들들이) 밤에 왔다 갔는가 보더만. 그러니까 왔다 간 줄만 알면 경찰 순경들이 쫓아와. 근데 여수 난리 때는 어쩌냐 하면 우리 오빠도 작은 오빠도 재피(잡혀) 가 갖고 나가 이틀이나 밥을 해서 갖다 갔다 날랐어. 이고 갔어. 그때. 여나무살(열 살 남짓) 먹었을까?

□ 여수 경찰서로 잡혀 갔어요? 아니면 서초등학교?

왜 불 질러불고, 어쨌든 잡혀가고 그거 가서 보니 사람들이 말도 못하게 많이 잡혔어.

□ 서초등학교였군요.

그래 갖고불을 질러버렸잖아, 그놈들이.

□ 초등학교에 한가득 사람들을 모아놨었어요?

응. 그래갖고는 불을 내버렸어. 그래 갖고는 어쨌는지 우

리 오빠는 옷도 다 벗어 불고 깨댕이 벗고(벌거벗고) 여수 작은
아버지 집으로 왔더래.

□ 거기서 도망쳤어요?

불이 붙은 게로 할 수 없이 살려고 어디서 튀어나왔는지
튀어 나와갖고.

□ 그때 여수 시내가 다 불이 났지요.

응. 그래갖고는 그 놈들이 잡으면 죽지마는 하도 사람들
이 많은께 개미구덕에 불댄 거맹키(불댄 거처럼)로 막 니도
벗고 니도 벗고 서로 나가려고 할 거 아니겠어? 살려고. 그래
갖고작은 아버지가 뒷날 연락을 해 와서 작은 오빠 옷을 갖고
갔어. 가보니 작은 아버지 옷을 입고 있더만. 그래 갖고집으로
왔어. 그때가 한 음력으로 9월이나 될 거네. 벼를 싹 벤 뒤였
어. 사람 눈으로 보이는 남자는 건 다 끌어다가 그 논바닥에다
가 불 피워 놓고 두드려 팼어. 그래 갖고 일어나도 못하고
그냥 그 자리에서 그냥 똥을 발발 싸고 다리로 잔댕이로 끄집
고 들어 오도 못하고 다들 병신됐어.

□ 아이구, 얼마나 때렸으면….

그래갖고는 동네 사람들이 그 빨갱이 된 놈을 어떻게 할 거여. 그놈만 봤으면, 그놈 어디 사는 거 갈쳐만 주라고 두드려 패. 알아야 갈쳐 주지, 맞기만 썩어나게 그냥 맞았지. 온 동네 사람이 안 맞은 사람 하나 없어.

□ 군인들이 그랬나요? 아니면 경찰들이 때린 건가요?

경찰들이. 군인들이 뭐하러 그러겠어. 경찰들이 몰려와서 사람 남자라고 생긴 것은 다 끄집고 가서 논바닥에다 엎어뜨려 놓고 때렸어.

□ 그러면 어르신이나 어머님, 동생들은 다 그냥 먼발치에서 막 울면서 쳐다보고 있었나요?

우리 아버지도 우리 재피 갖고(잡혀서) 그 동네 앞에서 두드려 맞고 그래도 딴 사람보다 좀 덜 맞았어. 당신 발로 (집에) 걸어 들어 왔으니께. 어떤 사람들은 기어들어 오도 못 해. 완전히 잔뎅이를 그냥 두드려 패갖고. 아이고, 그런 걸 생각하면…. 그래갖고는 경찰들이 그 집에 붙어서 밤낮으로 살았어. 잡으려고. 그나마 저 빨갱이 된 놈이 거기서 죽었는지 살았는지 영 소식이 없었어.

□ 작은 오빠가 거기서 살아나왔잖아요, 그 뒤에 어찌되었어요?

그리고 이제 뒷날은 (작은아버지 집에) 가서 데리고 왔지.

□ 그러면 경찰들이 가만둬요?

(경찰이) 모르거든.

□ 살아나온지 모른다?

모르지. 불 속에서 다 뒈진 줄 알았지.

□ 그럼 집에 한동안 숨어있었겠네요?

있어도 그냥 낮이면 일허고 눈치만 보지. 경찰이 어디 오는가 어쩐가 그런 것만 보고 일허고 집에서 다 밥 먹고 그랬어.

□ 그러고 넘어가버렸어요?

그때 넘어가니까 괜찮아지데.

삼 년 만에 살아 돌아온 큰오빠

□ 정말 기적 같은 일이네요.

우리 큰 오빠도 첫 휴가 왔다가 가면서 빨갱이들한테 잽혀부렸어. 잽혀 갖고는 여기 아랫동네 차○○라고 돌아가셨던 그 집 형님하고 둘이 잡혀 있잖아. 여기서 휴가 왔다가 (귀대차) 가다가 잡혀 갖고, 근데 '죽었다'고 그거 그러면 뭘 잘라놓는다고 하데? 손톱 같은 그런 거. 소식이 없응께로 그냥 빨갱이들한테 잽혀 넘어가 버려 논께(잡혀 넘어가) 그냥 소식이 없어서 죽었다고 말하자면 옛날에 전보가 왔어. 그래 갖고는 담요도 나오고 군용 외투도 나오고 죽었다고. 그래 갖고 또 쌀도 조금씩 나오고, 근데 오빠 죽었다고 그게 그거여. 그 뒤 3년을 이제 제사를 모셨어. 휴가 왔다가 간 그날로 (제삿날을) 잡고 이제 집에서 제사를 모셨어.

□ 3년 동안 아무 소식이 없으니까요?

응. 그러고 난게로 3년이 넘었는데 저거 편지가 왔어. 그동안 울 아버지가 그냥 이 심장(병)으로 그냥 눈이 못 쓰게 돼버렸어. 뵛이 안 보여. 오빠가 죽었냐고.

□ 에고, 그 일 때문에 큰 아들 잃어버렸다고….

그냥 눈이 봉창이 돼갖고는 떨지도 안하고 항상 지팡이만 짚고 그냥 가는 대로 당기(다녀). 그래 갖고편지가 온께로 "어떤 놈들이 너무 속 쑤시려고 편지(를 부쳐) 왔다"고 짝짝 찢어 부렸어.

□ 읽어보지도 않고 읽어볼 수도 없고….

그렁께 작은 오빠가 허는 말이 "아버지, 글씨가 (정)천만 형 글씨 같소" 그래. '소식 없는 지가 3년인디 4년차 들어오고 그런디 어떤 놈이 이런 걸 보냈다'고 아버지가 속이 상했지. 그렁께 까끔이골 나무허는 데가 아주 넓어. 6천 평이 다 돼. 신작로로 가서 앞도 못 본 사람이 소리를 질러. 나무꾼 중 누가 (장난친 놈이) 찍어 날까(찔려 나올까) 싶어서 "나무 허는

놈들 안 나가냐, 안 나가냐?" 그러고 다녀. 글고(그러고) 심심
허니께 지팽이 짚고 아는 길로 가다가 그 중간에 술집이 있어.
그 술집에서 한 잔 하고 그 앞이 신작로고 그러니까 우두커니
앉아있었어. 누가 오더만 "아부지" 그러더래. '누가 벌로(잘못)
보고 그런갑다(그러는가 보다)' 그러고는 암 말(아무 말도)도
안하고 있었더니 또 부르더래. 이번에는 자기 이름을 가르쳐
주고 그러더래. "내가 정천만이요" 그러더래. 그러니까 그냥
깜짝 놀래서 아픈데도 우리 아버지가 심봉사 눈 뜨듯이 그냥
눈을 치떴어. 딱 붙었던 눈이 그냥 찢어져 갖고 피가 질질
났대. 그날 주막에 있던 사람들이 그 피를 막 닦고 해 갖고
아들이랑 둘이 집으로 왔어.

□ 눈을 떴어요?

응. 그런데 그때 저 상금에 우리 밭 서마지가 있었어. 나는
미영(목화)대를 뽑고 (작은) 오빠가 거름 (지게에) 지고 와서
부리고 미영대 갖다가 널고 그러고 있었어. 근데 올 시간이
됐는데도 오도 가도 안해 오빠가. 나는 그 미영대 뽑고 무를
캐서 옮기는데. 그런데 동네 한 머시마(남자애가)가 오더만
"야, 너희 큰 오빠 왔다잉" 그러더만. 그래서 "무슨 큰오빠가
있어. 정신없는 소리 말아라, 이 새끼야" 그랬어. 그러니까
"진짜여, 가봐. 온 천지 사람들, 대통 사람들, 군장고 종국 사람
들, 무선 사람들, 막 다 와서 들어설 틈이 없고 느그 집 찾(지)

도 못헌다"고 그래. 무(시)를 서너 개 바구니에 이고 얼마나 달음질(달리기)하며 갔는고 무시(무)가 칼로 썰어 먹지도 못해. 깨져갖고. 그래 갖고 집이라고 들어간 게 사람이 걸려서 들어가지도 못허고 어쩌지도 못하고….

□ 죽었던 사람이 살아왔다고 그랬군요.

가까이 가니까 그냥 고기 굽고 뭐하고 그냥 술병이 들어오고 난리가 났더라고. 우리 아버지는 좋다고 춤추고 노래 부르고 다니고. 그래 갖고 마당 가운데 들어간 게로 무슨 군인이 나를 딱 거머잡고 울고 있어. 그러고 오빠라 그래. 군인들 셋이 따라왔대. 그러고 뭐 깡통에 건빵 이런 박스를 갖다가 재(쌓아)놨어. 그렇게 거기서 돌아왔고 그 뒤에 얼마나 있었는가 몰라. 하여튼 다시 군에 들어가 한 3년은 더 있었어. 전에는 군인을 오래 살았잖아.

□ 다시 군대를 갔어요?

이제 가서 살아야지(복무기간을 채워야지). 그래 갖고(큰오빠에게) 이야기를 들으니께, 여기 군인들이 북한으로 잽히고(잡히고) 북한 군인들이 여기로 잽히고.

□ 포로를 교환했군요.

인명수대로 교환을 했는디, 중간에 서서 가만히 봉께 우리 군인들이 많고 북한 군인들이 째까(조금) 남았더래. 그래서 살살 기어서 중간에 딱 섰는데 우리 오빠까지 딱 끊어서 교환을 허더래. 운수여.

□ 세상에! 기가 막히군요.

그래서 넘어 왔다고 했어. 요 아래 집 차○○ 어매가 우리 집에 몇 번 왔어. 우리 오빠가 휴가를 오면 그래. 즈그 아들 소식 들을라고. 소리 들으면 아들 소식 들으려고.

□ 그니까 북한까지 올라갔다가 포로교환할 때 돌아왔군요.

응. 차○○ 씨가 아들 딸 둘 두 남매를 낳아 놓고 군대를 갔는데, 그 애들을 작은아버지가 키워갖고 다 컸어. 근디 차○○가 (북한에) 죽었는디 (우리 큰오빠는 차마) "죽었다"는 소릴 못항께 "다음 기회에 넘어올 거요, 넘어올 거요" 그래버렸거든.

□ 죽은 줄 아는데도 이야기는 못 하고 그랬네요?

우리 오빠가 같이 손으로 묻었다고 하더만. 땅이 얼었는 고 오늘 구덕(구덩이)을 파면 나무로 불 좀 피워갖고 그놈이 녹으면 또 파고 파고 그라고 물었대. 그런 이야기를 하더만. 그 집 형제간에게는 터놓고 말을 하더만. 내가 부모 속 아플 거 같아서 그래(그렇게) 말 안했지마는 그 사람(차○○)은 이 세상 사람이 아니고. 그 뒤로는 (차○○ 씨 부모가) 안 찾아 오더만.

작은 오빠 밥을 이고 찾아간 학교

□ 큰오빠가 몇 세까지 사셨어요?

정말 죽은 줄 알았는데 살아오셔갖고 살다가 결혼도 하고 저거 빨갱이로 넘어간 그 집에서 반해갖고 우리 오빠를 혼인을 시켰어. 그리고 살다가 돌아가신 지가 벌써 오래됐어.

□ 병들어서 돌아가셨어요?

아파서 돌아가셨어.

□ 작은오빠는 몇 세까지 살다가 돌아가셨어요?

작은오빠는 더 젊어서 죽었어. 결혼해서 아들 넷이나 놓고 딸을 하나 놓고 했는데….

□ 여순사건 때 경찰들이 작은오빠를 왜 잡아갔었나요?

집에 있는 사람을 경찰들이 와서, 순경들이 쫙 깔려갖고 남자들 보인 놈은 다 총을 들고 다니면서 "거기 서 있으라"고 막 그러면 꼼짝도 못하고 서지. 그러면 잡아가고 그랬어.

□ 그때 생각만 하면 끔찍하겠네요.

어려서 그래서 잘 몰랐지만 그래도….

□ 그때 어르신이 한 몇 살이나 됐을까요?

한 여나무 살(열 살 남짓) 먹었을까. 열 살도 못 먹었는가, 작은 오빠 밥을 해주면 아침에 밥을 이고 걷고 걸어서 그 학교를 찾아갔어.

□ 거기 가보니까 운동장에 사람들이 한가득 있었죠?

엄청 많지. 창문으로 내다보고 그래.

□ 거기서 작은오빠를 찾았어요?

거기서 불러주데. 이름을 불러줘. 그러면 밥 한 숟가락 먹으면 뺑허니 짜갖고 있어. 그놈들(토벌대)이. 어디로 도망갈까 봐.

□ 그럼 밥을 혼자서 가지고 가셨어요?

응. 하여튼 어디가 어딘지도 모르고 거기만 한 번 찾아가면 그 길목만 알고 거기를 찾아갈 줄 알았지.

□ 어린 나이에 밥을 머리에 이고 작은오빠 위해서 거기까지 가셨군요. 그래도 엄청 영리하셨나 봅니다. 그러니 그때 부모가 믿고 또 딸을 보내고. 그걸 어떻게 혼자 찾아갈 생각을

해요. 다른 집 애들 같으면 "난 못가" 그랬을 텐데.

"못 간다"는 소리도 할 줄을 몰랐는가 어쨌는가.

□ 그때 거기 서초등학교에서 사람들을 반란군에 가담한 사람 안 한 사람 양쪽으로 나눠 갖고 한쪽 사람들 다 죽였어요. 정말 끔찍한 곳이었습니다. 정말 많은 사람이 죽었어요.

그런 것은 잘 모르나보데. 그 사람들을 잡아다놓고 "네가 북한으로 가봤냐 안 가봤냐, 머리에 새겼냐 안 새겼냐?" 그런 다짐을 받고 막 그런가 보데. 독허네 독허네 해도 순경, 경찰들이 독해. 안 독허면(독하지 않으면) 그런 짓거리들은 못허지.

스무 살에 시집와 이처럼 오래도록…

□ 어르신은 몇 살 때 시집을 가셨나요?

스무살 여기로 시집을 온 거여.

□ 그러니까 20살까지 계속 가마니 짜는 일을 계속하셨군

요.

암(그렇지).

□ 스무 살에 이 집으로 시집왔는데, 이 집으로 어떻게 오셨나요? 중매로?

응. 저쪽 새집 지은 데가 우리 큰집이라 원래. 여기 큰집으로 시집을 온 것이지. 관기 양반이 중매를 서갖고.

□ 어째 남편이 되실 분, 신랑 얼굴이라도 보고 시집을 오신 건가요?

뭘 봐. 얼굴도 못 봤어.

□ 얼굴도 못 봤어요?

봤으면 안했지. 하도 못생겨 놓은께.

□ 아, 그래요?

나도 못생겼지만 진짜로 우리 영감 못생겼어. 안 봤어? 우리 영감 한 번도?

□ 한 번도 못 봤죠.

여그 이사 온 지가 몇 년인데 안 봤어?

□ 지금 4년 차 됐습니다.

음. 우리 영감 돌아가신 지가 올해 5년차여.

□ 그러시군요. 그러니까 얼굴도 안 보고 그냥 좋다고 그러니 이쪽으로 시집을 오셨군요. 근데 그때 당시만 하더라도 꽃가마 타고 오셨나요?

가마 타고 왔지.

□ 와보니까 식구들이 많아요?

많아.

□ 얼마나 돼요?

홀 시아버지 있고, 우리 큰 시숙님, 동생, 조카들이 큰 조카 중 나와 동갑이 하나 있고, 그 밑에 둘이 있고 조카만 여섯이라. 딸 둘이고, 막둥이는 나 시집와서 동서가 낳았고. 우리 시아재(남편 남동생) 하나 있고.

□ 딸 둘에 조카만 여섯, 거기에다 남편과 시아버지까지….

어쨌든 열셋이라, 식구가.

□ 그럼 그 집에 방이 몇 개였어요?

방이 세 개, 부엌에 정지방(부엌방)이 또 하나 있고.

□ 그렇게 식구가 많은 줄을 모르고 오셨는가 봐요?

암 것(아무 것)도 모르고 왔지.

시집에서도 나는야 '일꾼'

□ 그 많은 식구 다 밥하고 그러려면 얼마나….

내가 스무 살에 시집올 때 우리 큰 동서가 마흔 살이었어. 겨울, 음력으로 동짓달 18일 날 왔는디 세숫물도 뎁혀서(데워서) 갖다 줘야 되고, 어디 아프지도 안 한디 그래.

□ 마흔 살 먹은 동서한테 세숫물을 데워서 갖다 줘야했어요? 상전이었군요.

20살 차이인디 그래. 세숫물도 뎁혀서 딱 맞춰서 갖다 줘야 했어.

□ 몸도 건강한데 그랬다고요?

아무 것도 안 할라고 그래. 아무 것도. 밭일도 안 할라고 허고.

□ 왜 그랬을까요, 이해가 안 되네요.

게을러. 게을러서 안 할라고 그랬어. 영감이 일도 안 시키고, 냅 뒤불고(내버려 두고) 그런께. 영감 놀러나가면 거기나 따라가려고 하고. 집안일이라면 일절 안 할라고 그래.

□ 그러면은 그 많은 식구가 먹고 살려면 논밭이 좀 있었어요?

논도 많고 밭도 많고 그래.

□ 부잣집이에요?

부자라, 미영(목화) 타는 기계 있고 방아 찧는 기계 있고, 타작하는 기계 있고 그러더만.

□ 그럼 어르신 친정보다 더 부자예요?

우리 친정은 부자 아냐. 전답은 많아도.

□ 근데 이 집 와보니까….

나락 뒤주도 있고, 쌀뒤주도 있고 그렇데. 저 섬에까지

발동기 갖고 댕김선(다니면서) 보리 두드려주고 돈 벌고, 발동기만도 두 대나 있었어.

□ 서방님이 그런 기술이 있나 보군요.

우리 서방이 아니라 시숙하고 큰 조카하고 그렇게 했어. 우리 집 영감은 부모가 없이 커놓은께(자라서) 학교도 안 댕기고 (머슴살이로) 남의 집만 보내. 째간했을 때부터 남의 집을 보내더라네. 큰 시숙이 노름을 해갖고 싹 망해버렸더라네. 그래갖고는 어리디 어린 동생들을 남의 집에 보내갖고 풀칠허고 (겨우 먹고) 살았는가 보데.

□ 그때는 어려우니까 남의 집에서 그냥 살도록 하는 고생을 해서 재산을 모았군요.

그래도 뭐 아무것도 언(지)도 못했어. 논도 있고 밭도 있지만, 즈그 새끼들만 논 4백 평짜리씩 딱딱 나눠 줬지. 동생들은 안 줘.

□ 그럼 어르신은 여기 시집 와서도 논일, 밭일 다하고 식구들 밥해서 먹이고 빨래 다하고 그러셨겠네요?

암(그렇지). 논일 밭일 다 허고 빨래가 식구 많은께… 옛날에는 이가 있은께 무명베를 삶아야 했잖아. 추운 겨울에도 빨래를 하루 종일 해야 했어.

□ 그러면 이 동네 어디서 빨래를 해요?

그때는 우리 집 뒤 쪽으로 가면 중간에 둠벙('웅덩이'의 방언)이 있어. 지금도 있어.

□ 동네 사람들 다 거기서 빨래를 했어요?

아니, 여기 윗동네 사람들만. 아래쪽 사람들은 저 밭 밑에 또 샘이 하나 있었지.

□ 어르신이 시집 와보니까 여기 동네에 집이 몇 집이나 있던가요?

큰 집 한 채, 우리 집, 나 신우 동서네, 둘째네…. 위쪽에 여섯 채 있었고 아래쪽에 한 네 집…. 모두 한 열 집쯤 있었던 거 같애. 옛날 집은 다 뜯겨 불고 우리 집만 오두막살이로 남아있지.

□ 그때도 지금이랑 가구 수는 비슷하네요. 그럼 이 집은 몇 년도에 지었어요?

요것(이 집)이 지금 60년차 나네.

□ 그러니까 이전에는 초가집이었는데 이 자리에다가 그대로 지은 거예요?

여기가 옛날에는 마당도 없고 집 지을 때 째간했어. 밭떼기 하나 있었어. 우리가 밑에 논을 하나 사갖고 늘리고 늘려서 여기에 집을 지은 거야. 삼월 달에 집 지어 나와서 사월 달에 지금 육십 살 먹은 우리 큰 아들 낳았어.

자녀들을 키우면서

□ 그럼 시집 온지 몇 년 만에 큰아들을 낳으셨어요?

3년 만에.

□ 그럼 지금 자녀가 어떻게 되세요?

아들 둘, 딸 둘.

□ 큰아들이 첫째인가요?

응. 그 다음에 딸.

□ 시집 온 지 3년째에 큰아드님을 낳으셨으면 좀 늦게 낳으셨네요?

긍께 우리 시어매가 자식 욕심이 많아갖고 애기 못 놓는다고 쫓아내네 어쩌네 그랬어. 근디 나를 보내려면 "어찌 아까워서 보낼꼬" 그러면서 즈그들끼리 쑥덕이고 그랬는가 보데.

□ 일을 잘하니까 그랬겠죠?

응. 우리 손윗동서는 베 짤 줄도 모르고 그런께로.

□ 아, 어르신은 그런 것들을 다 할 줄 아니까…. 그런데 제 생각에는 너무 여기 와서도 일을 많이 하느라고 애가 들어설 힘이 없어서 그런 게 아닌가 싶어요.

그래서 아들 둘, 딸 둘, 큰아들 그다음에 딸 또 딸 낳아놓고, 막둥이 아들이 여기 지금 웅천 살아.

□ 그러면 큰아드님은 어디에 계셔요?

서울 부천에 있고 둘째 딸과 셋째 딸도 거기 부천에 있고.

□ 다들 부천에 사는구만요.

우리 막내만 여기에 있어. 막내도 올라갔을 텐데 나 도와주려고, 엄마가 불쌍해서 못 간다고 지금 여기 살아.

□ 그래서 웅천에 살고 있군요.

평소 그애 없으면 나는 일도 못해. 밤눈도 어둡고.

□ 막둥이 아들이 그래도 어머니를 제일 챙기려고 하고 사랑하는가 봅니다.

응. 사십 아홉이야.

'어정개비' 같은 서방

□ 서방님이 어째 좀 잘 따뜻하게 아껴주던가요?

아니여, 인정머리가 없어. 돈 쓸 줄 알고 술만 먹고 돌아다니지, 같이 맞잡아서 일하려고 연구 안해. 맨날 술만 먹고 술병이나 둘러메고 다니지. 그렇께 죽은께 불쌍토(불쌍하지도) 안허고 시원허대. 솔직한 말이야.

□ 어이구, 그 정도이셨군요. 무슨 병으로 돌아가셨어요?

갑자기 겨울에, 말하자면 80세 겨울에 섣달에 어째서 방에 드러누웠어. 여기 무슨 오토바이 타고 다니는 젊은 사람 있잖아. 우리 동네 사람. 그 사람이 우리하고 동무하고 날마다 잘 댕겼어. 그 사람이 요리(이리로) 오더만 "큰아들이 왔다"고 자신을 큰아들이라고. 날 부르길래 내다봉께로(내다 봤더니) "강채가 뭣허로 왔던가?" 그래. "아까 강채가 왔다고 안했던가?" 그래. "그 사람은 문○○이지 어디가 그 사람이 강채대요?" 그렇게 이상하게 정신없이 한 번씩 엉뚱한 소리를 허대.

그래서 "치매가 온 것 같다. 치매가 오면 어쩌고(어떻게) 살꼬" 나가 그랬어. 정월 보름 되기 직전에 "아프다"고 그러데? "배가 아프다" 그래. (겉으론) 멀쩡허니. 나는 저 방에서 자고 당신은 이 방에서 자는데, 그냥 "배가 아프다"고 그래. "왜 배가 아프다고 하나?"고 그러니 "모르 것다"고 그래. 워낙 술 담배만 묵은께로 그걸로 죽었어.

□ 술 담배를 많이 하셔서….

폐도 못 쓰게 돼부렀고 간도 못 쓰게 되고 잠이나 들면 모를까 술을 대놓고 살고 담배를 입에다 걸고 살았어.

□ 노름은 안하셨어요?

왜 노름을 안 해. 내가 가면 늘 허고 주막에서 허고….

□ 그러면 고생고생해서 번 돈을 다 노름으로 날리셨겠군요.

뭐, 돈 벌어서 집에 갖다준 것도 없어. 큰 집에 살 때 즈그 성(형)이 남의 집을 내보냈지, 지금 나가고는(독립해서는) 묵을 것이 없는 께로 2년인가 3년인가 남의 집 살아갖고 그 뒤에 군에 갔지. 스물아홉 살에. 30살 되려고 하니까 군대 갔지.

□ 그럼 어르신하고 결혼한 뒤에 군대를 갔어요?

응. 우리 큰아들하고 큰딸하고 낳아놓고 갔어.

□ 아이고야, 세상에, 서방님을 군대를 보내셨군요.

법에서 오라는데 가야지 어쩔 거여. 전에는 여기서 꼬막
을 잡았어. 여그 바다에서 꼬막을 잡았어. 꼬막을 잡는디 남자
가 없으니까 꼬막 잡을 때 늘 여기서 걸어갔다가 걸어오고
꼬막이랑 가져 올란께로(가져 오려고 하니) 그게 제일로 못
쓰것대(그게 제일로 어렵더군). 물가로 나오면 누구 하나 잡아
줄 사람, 바구리(바구니) 하나 갖다 줄 사람도 없고 꼬막 건져
줄 사람도 없고.

□ 꼬막도 있구나.

꼬막을 하루 잡으면 석 동우(세 동이)씩 잡았어.

□ 꼬막이 많이 나왔네요?

우리 동네에서 똑같이 말을 짜서 그놈을 갖고 가서 그게 서말짜리라. 또 양철동우, 여수서 양철을 갖고 만든 동우(양동이), 그런 집(그런 거 만드는 집)에 가서 일제히 똑같이 크게 맞춰갖고 그놈 갖고 동반석 해야 즈그가 남겨 먹는 게 많거든. 그래 갖고 이고댕기면서 팔고.

모두가 일하느라 바빴어

□ 어르신도 '뻘배'라고 합니까, 뻘배? 이렇게 다리 하나를 하고 이렇게 가더군요.

널 밀고 그러고 널 타고 내려가서 잡았고 또 그러면 밀고 또 타고 올라오고 그래.

□ 그거 아주 잘 하시겠는데요?

징그러와, 아주 징그러와(지긋지긋해). 그거 한 거 생각하믄 그래 갖고얼른 병신이 돼분가 싶어.

□ 그것 때문에 다리가 아프셔요?

허리도 아프고 다리도 아프고. 어디가 아픈지도 몰라. 하도 아픈 데가 많은께. (눈물)

□ 음, 그렇게 자녀들을 키우셨군요. 그렇게 고생해서. 그렇게 꼬막 팔아서 돌아오면 서방님이 돈 내놔라고 노름할 돈 내놔라고 그러지 않았나요?

돈 내놓으라고 하기도 전에 저거 꼬막 팔고 뭐 팔고 갖다 놓으면 갖고 가서 탈탈 털어 풀고, 누가 막노동 다닌께 거기 돈 벌러 간다고 갔다가 돈 받아서 저기 오다가 삼거리 가게 집에, 거기가 원래 술집이거든. 저녁마다 노름 붙여갖고….

□ 삼거리 집이 원래 술집이었군요.

지금 그 사람들이 가게를 안 본 게 그렇지 전에는 크게 했어. 이 동네, 현천 사람들, 화양면 사람들 다 와서….

□ 아, 그래요? 거기서 주로 앉아서 술 마시고 노름하고 그랬

나 보군요.

이 동네, 지금은 다 죽었지만 노름쟁이들이 있었어. 그 사람들과 술 좋아하니까 술 마시고 노름 허고 그랬지.

□ 그러면 혹시 김점심 어르신이랑은 다 친하게 지내셨어요?

그럼 노인들끼리는 다 친하게 지냈지. 우리들은.

□ 김점심 어르신은 한 열 살이 많잖아요.

나하고 열 살 차이라.

□ 그 어르신이 좀 챙겨주시던가요? 마을 동생이라고….

그분도 '없이' 살았어. 지금은 자석들은 다 잘 돼갖고 다들 잘 살지만. 그 애들 다 키울 때는 고생 많이 했어.

□ 김점심 어르신 자신 살기도 바빴겠네요.

옛날에는 사는 게 다 그래.

□ 그럼 이제 어르신 이제 말하자면 서방님이 그렇게 만날 바깥으로 돌아다니시고 어르신 혼자 거의 집안일 다 하셨겠군요.

한 12명씩, 한 20명 씩 다 나가 품앗이 해갖고 왔어. 남자 품도 나가 가갖고 하고 오고. (영감은) 술만 먹고 논두렁 댕기면서 노름허고 돌아다녔지. 일 할라고 생각을 안 해. 근데 일을 하면 못하잖아, 잘 하면서도 그래.

□ 대체 왜 그랬답니까?

술(병) 잡았다고 하면 일을 안 해.

□ 그럼 자녀들이 좀 큰아들이랑 다 아버지를 많이 원망했겠는데요?

다 어려서 나가 부러 놓은께. 여기서 중학교 당겨갖고 나가불고, 여기 사는 막둥이가 즈그 아부지 거석(거시기) 한 것을 다 알지. 그 위에 것들은 자세히 몰라. 우리 막둥이는 고등학교까지 댕기면서 즈그 아부지 그런 것을 다 알지.

돈 없어 힘든 것 말고는 괜찮게 살았지

□ 그렇군요. 어찌 자녀들이 부천에 다들 모여서 산답니까?

돈 번다고 어디로 부산으로 갔다가 또 어디 있다가 즈그 큰오빠가 가면 쪼르르 따라가고. 안 떨어지려고 그래 갖고거기서 다 자리 잡아서 있어.

□ 잘 됐네요. 그러니까 큰아드님 중학교까지 가르치셨군요.

중학교 나오고 양복점에 들어간다고, 우리 사촌 오빠가 양복점에 데려간다고 그래서 가라고 그랬더만 그렇게 깊은 내용을 몰랐어. 그런데 그 오빠가 술을 먹으면 주사가 나빴는가 봐. 그래 갖고아들이 참고 고통 받다가 안 되겠다고 그래. 그럼 허지 마라 그랬지.

□ 그러면 어르신이 여기 시집 와서 사시면서 가장 힘들었을

때가 언제입니까?

　힘든 건 뭐, (돈이) 없으니까 힘이 들지.

　□ 아니 누가 크게 아팠다든가 무슨 사건이 있어서 어려웠다든가 뭐 그런 거 없어요?

　그런 건 없어. 영감이 일을 안 허고 어정어정 댕기며 술 먹고 그런 거이 힘들었지.

　□ 그게 힘들었고, 자녀들은 말 잘 들었어요?

　우리 애들은 진짜 말 잘 들어. 남들 애들과 달리 말 잘 들었어.

　□ 뭐 사고 친 것도 없어요?

　아직까지는 그런 건 없어. 남들 애기들은 어머니가 뭐라고 혼내면 도망을 치고 악을 쓰고 욕을 하고 같이 맞서려 하고 그래. 우리는 그런 꼴은 안 봤어. 우리 여기 있는 막둥이도 마누라를 보고 "나는 이 나이되기까지 우리 어머니한테 욕한 번도 안 얻어먹어 봤다"고 그러더라네. 그리고 우리 엄마한테 한 대도 안 맞아봤다고 그러고 그랬어.

□ 자녀들에게 야단치고 매를 때리고 그런 것을 전혀 안 하셨어요?

왜 우리 큰 것들은 우리 큰 집에서 화가 나면 그냥 우리 집 새끼들한테 화풀이를 하고 그랬지만, 작은애 막둥이 저것은 워낙 지가 낫낫헝께(낫낫하니까)로 뭐라고 할 것도 없고 매를 잡을 것도 없고 그랬어. 우리 큰 애들도 말대꾸 한 번도 안해도 그냥 나 꼬라지와 성질이 넘치서(넘쳐서) 좀 했지. 애기들이 말을 안 들어서 그런 것이 아니야.

□ 그러면 어르신 평소에 자녀들 키우실 때, 뭐라고 가르치셨습니까? 그러니까 늘 강조하며 훈계하신 내용이 뭡니까?

뭐 "남한테 나쁜 짓거리 하지 말고 남의 애기들하고 학교 다님서 싸우지 마라" 그런 거지.

□ "남 해롭게 하지 마라"고 하셨군요.

남한테 나쁜 짓 하지 말고 너무 것 눈 뜨고 모르게 돌라오지 말고, 뭐 자석들 키우는 사람이 그런 거지 뭐라고 더 할 게 있겠어.

□ 아 그래요.

그래서 나하고 우리 아이들은 아직까지는 큰 아들이 (나이)60이라도 뭔 소리 안 들어봐. 우리 큰딸도 지금 세 살 적은 께 57세라도 아직까지 남하고 싸우고 들어온 걸 못 봤어.

딱히 후회스러운 일도 없고

□ 지금 어르신이 여든 둘이시잖아요? 우리나라 나이로 해서 여든둘이라고 그러셨는데 살아오면서 제일 후회스러운 것은 뭐 있습니까?

후회스런 것은 없어.

□ 크게 후회스러운 거 없어요?

우리 애기들 키울 때 묵을(먹을) 게 적은께….

□ 그때는 다 가난했잖아요. 여기 와서 보니까 마을 주민들 제일 즐거운 날이 보름날이던가요? 이 동네 와 보니까 쥐불놀이도 하고 그렇게 노는 날이 대보름이더군요.

몇 년 했는디 코로나가 와분께….

□ 옛날부터 해온 거 아니에요?

옛날부터는 안했어.

□ 최근에 생겨났다가 코로나 때문에 멈춘 거로군요.

우리 큰집 원석이라고 기계 갖고 다니는 그런 애들이 큼스럼(크면서) 지금 있는 것들이 커서 쥐불놀이 하지 옛날에는 없었어. 그전에 사람들은 뭐 그런 거 했까니(하진 않았어).

□ 여기 현천 소동패 놀이 유명하잖아요? 여기는 안 했어요. 그런 거?

여기서 단지 저 오토바이 타는 사람 ○○이 그 아버지가 전에 그 사람들하고 큰 가사리 사람들하고 지금은 다 돌아가셨지만은 아저씨 한 분이 현천 소동패들하고 같이 했지.

□ 여자들은 뭐하고 놀았습니까? 농한기 때는 같이 놀기도 하고 도란도란 이야기도 하고 뭐 그랬을 거 같은데요.

여긴 앉아서 가마니도 안 짜고 그런께. 여기 사람들은 여기서 그냥 시간 보내불고 저 밑에 사람들은 밑에 사람들대로…. 저 큰가사리는 동네가 큰께 모여서 놀고 그랬는지 모르지만 여기는 몇 집 안 돼서 별거 없었어.

□ 저 큰 가사리까지 놀러 안 가셨어요?

인제 큰 거시기(마을잔치)나 되면 한 번씩 내려가고 그랬지. 예전에 한참 우리 40대, 50대 그때는 이제 술 한 잔 먹고 놀기도 좋아라고 하기 때문에 4월 초파일 날 놀러 다니고 다 어울려 댕기며 가고 그랬는디 지금은 놀으라고 해도 놀기도 싫고….

□ 어르신 효도관광이니 뭐 이런 거 이렇게 어디 가보셨어

요? 제주도도 가보셨어요?

제주도는 영감이랑 두 번인가 세 번 가고, 또 동네 노인당에서 한 번 가고….

□ 그리고 또 어디 가보셨어요. 제주도 두 번 가보셨고….

몰라, 어디로 댕기고 하는 거 몰라.

□ 또 기억나시는 거 뭐 있어요? 지금껏 사시면서 뭐가 제일 재밌는 일이 뭐가 있었습니까?

재미진 것 없어.

□ 그러면 어르신이 마지막으로 자녀들한테 하고 싶은 말, 마지막으로 하고 싶은 말 여기다가 남겨놓으세요. 자녀들이 여기 있다 생각하시고….

자녀들한테 하고 싶은 말은 몸 건강하고 어쨌든 명복만 타면 제일이지 뭐 다른 거는 바랄 것도 없어. 사는 동안에 나 죽기 전에 다들 몸만 건강하면 돼.

□ 각각 이름을 한 명씩 불러가면서 이야기 한 번 해보세요. 그래야 남지요.

큰 아들 강채, 건강하고…. (큰아들이) 허리가 아파서 수술해갖고 허리가 아수 안 좋아, 지금. 딸 상숙이 그 애가 결혼해 살다가 아들만 둘, 연년생 낳아갖고 다 장가 갈 때 됐는데 즈그가 안 가려고 그런께 지금 못 여의고 있어. 30이 다 넘었어. 그래도 즈그 먹고 살 만한께 그건 걱정도 안 되고, 그 다음에 셋째 딸 한미, 그 애는 우리 부모가 몰랐더만 갑상선이 있었나 봐. 그래 갖고독헌 약을 먹으니까 병원에서 아기가 있더라도 아기 놓지 마라 그래서 자식이 없어. 그거 좀 찌이고, 막내 정상채, 웅천 살면서 어찌 됐든지 즈그 먹고 살 만한께, 아들 둘 있으니 손주들이 군에 갔다 와서 건강하게 다 잘 살면 이제 거의 끝이여. 자식들 좋은 게 좋지 늙은 부모들 좋을 거 없어.

가장 슬펐던 때

□ 어르신 좀 궁금한 게 하나 더 있습니다. 서방님이 하도 힘들게 해서 그냥 그렇게 술 담배 노름에 일도 제대로 안 도와주고 그러다 가시니까 '솔직히 크게 슬픈 것도 없더라' 그런 이야기를 하셨습니다. 그러면 인생에서 82년을 살면서 가장 슬펐을 때가 언제입니까? 큰오빠가 군대에 갔다가 돌아가셨다고 그랬을 때인가요?

큰오빠 돌아가셨다고 했을 때도 나이가 좀 어리니까, 우리는 그냥 큰오빠가 돌아가셔도 그런 줄도 잘 모르고 그랬어. 어릴 때라.

□ 그럼 할머니 돌아가셨을 때가 제일 슬프시던가요?

할머니가 정이 제일 많아서 시집으로 온 뒤로 할머니가 그렇게 보고 잡대(보고 싶었어).

□ 그때 제일 많이 우셨군요.

응. 할머니 보고 싶어서 계속 산 몬댕이(꼭대기)만 쳐다봤어. 해가 넘어가면 저 무승산을 쳐다보고. 저기서 보면 우리 동네 앞산이 딱 뵈기부러(보였어). 그 산만 쳐다보고 우두커니

89 정옥자 님

서있고 그랬어. 그때 말고는 그리 슬프고 그런 것도 없고.

☐ 할머니가 어떻게 따뜻하게 해주시던가요? "옥자야" 하면서 자주 뭐라고 하시던가요?

손주들이 나 밑으로 여동생들이 둘 다 있어. 애기들이. 지금 칠십 다섯 살 먹고, 칠십칠 세냐, 나하고 다섯 살 사이가 있어. 그 애들이 더 어린데 (할머니가) 이상하니 나만 애기로 치지 밑에 동생들은 애기로 안 쳤어.

☐ 할머니가 아주 특별하게 사랑하셨군요.

감도 요만씩 할 때 젖이 없은께 홍시로 만들어서 키웠대. 자기가 마죽을 쑤어서 먹이고.

☐ 아, 젖이 없이 힘들게 컸다고 그러셨군요.

그랬는디 겨울이 되면 운동하고 와서, 내 친구들하고 동네서 놀다가 와도 우리 할머니가 키가 커. 저그 높은 데 딱 가을 홍시가 되면 나만 살짝 오라고 해서 주지 동생들은 있으면 쫓아내부러. 밖에 가서 놀라고. 그래 갖고 나만 주고 그랬어. 그러니 할머니 정이 제일로 깊어.

□ 이제 마지막 바라시는 것은 뭡니까?

죽을 때 안 아프고 죽으면 그거지. 죽을 때 고통 안 받고 안 아프고 얼른 죽는 거.

□ 그러게요, 어르신들 병원에서 그냥 막 그렇게 지내시다가 어렵게 투병생활하시다가 돌아가시면 힘들죠.

왜냐면 우리 영감도 갑자기 아파서는 아들 우리 막둥이가 그때 즈그 동서들과 처제 데리고 제주도 갔는데 전화를 한께 제주도라고 그래. 아부지가 배가 아파서 누웠더니 안 좋다 그런께로 "엄마 택시 불러 갖고 병원에 가서 검사 한 번 해보소" 그래. 하자고 해도 마다고 해서 냅뒀어. 또 아프면 술 한 잔 주면 또 술기운에 그 순간을 넘기고 넘기고 그랬어. 막둥이가 즈그 놀 날짜를 하루 앞당겨서 와버렸어. 업고 나가서 차에다 싣고 여천 전남병원으로 갔는디, 거기 응급실로 가서 일요일 이라 놓은께 여기선 안 되겠다고 광주 전대병원으로 가라고 지도해줘서 그리 갔어. 무조건 병원은 가면 "수술해라, 찢어 라" 그거 병이여. 죽을 사람을 뭐하러 수술할 거여, 그러니까 아들이 즈그 성한테 이러고저러고 헌다고 헌께 이"무슨 병인지 한이나 없게 수술을 하라"고 그러더라네. 그래 갖고저녁에 즈그 누나들이랑 매형들이랑 성이랑 싹 내려왔더래. 수술을 헌께 폐도, 간도 못 쓰게 돼버렸지. 만날 배 아프다고 악을 쓰더라네. 진통제를 세 대 연속 맞아도 악을 쓰더래. 그래 갖고 일요일 날 응급실로 데리고 갔는데 그 다음 주 일요일 날 광주 서 죽어갖고 내려왔어.

　□ 그렇군요. 그럼 어르신은 안 따라갔어요?

　아들이 못 오게 해.

　□ 아, 그래서….

　나 심장이 약한께, 엄마 못 오게 하고 즈그들만…. 나한테 는 연락도 안 해주고….

　□ 아, 그러셨구나. 그렇게 보내셨군요.

　일요일 날 아직 딱 일주일 만에 돌아가시고는 전화가 왔 어. "아버지 돌아가셨냐?"라 물었어. 막 울더만. "아이, 죽은 사람 뭐할라 울고 그러냐 울지마!" (그랬어).

□ 어르신은 용국사 다니시잖아요?

요즘에는 안 다녀.

□ 그래도 오래 다니셨잖아요. 어째 거기 가면 무슨 기도를
주로 드리셨나요?

스님들이 하는 대로 따라 하고 '자녀들 잘 되라' 기도드리
지. 나 몸 위해서 기도드린 거는 없응께.

옛날옛날 소가사 마을은…

□ 그러셨군요. 저기 뚝방을 일제강점기 때 막았잖아요. 시
집 와보니까 이미 이렇게 뚝방이 막혀있었겠네요?

논이 돼가고 있어. 저 저기 밑에 마을에는 하장맹키로
갱본(강변) 막아갖고 이제 하장맹키로 논도 아니고 그래. 그것
도 이젠 싹 다 논이 되고 있잖아.

□ 처음 오셨을 때부터 농사가 잘 되던가요?

강물 물 안 바치는 데는 잘 되고 강물 바치는 데는 약간 덜 되도 그냥 잘 되데.

□ 잘 되는 편이었네요. 물이 자주 잠기던데요.

옛날에는 비가 많이 오면 물이 잠겼는데 지금은 수문에서 두 군데서 퍼낸께로 잠기는 법이 없어. 수문에서 굵은 기계로 두 개를 퍼낸께.

□ 우리 마을 이름이 소가사잖아요. 이게 모래가 아름답다는 뜻의 소가사던데요, 옛날 일제강점기 이전에는 여기까지 바다였지요?

다 바다였어.

□ 여기가 그러니까 모래가 있었나 봐요? 여기가 모래사장 이었다는 그런 이야기 못 들으셨어요?

강변이었다고 해. 굴껍떡(굴껍데기), 전에 맨발로 논을 들어간께 발을 막 찢어불고 그래 꿀껍데기가.

□ 굴 껍데기 나와요?

여기 저 저수지 밑에는 더 그래. 막 와글와글했어. 여기는 덜 그래도 저 저수지 밑에는 굴껍데기 자글자글해. 지금은 물신이 있지만 그때는 물신이 없으니까 물속에 들어갈 때는 막 발을 찢어 부러. 그러면 피가 질질 나고 그랬어.

□ 바다였던 흔적이 그때까지 남아있었군요. 지금은 이제 전혀 없죠?

지금은 많이 없어져버렸어. 옛날에는 여기에 길이 없고 현천 도로 따라 저 관기로 해서 화양면 사람들이 걸어 다녔대. 여기가 바다라서.

□ 그러셨구나. 옛날에는 뒤로 여기 뒷산 길로 현천까지 넘어갔다면서요?

가는 길이 있어. 걸어 댕기는 길이. 차는 못 댕겨도 걸어서는 댕기는 질이 있어. 그 길로 현천초등학교 댕기고 그랬어. 지금도 있어.

□ 이 집은 바깥양반이 직접 지었어요? 아니면 목수들 데려다기 지으신 건기요?

시숙들이 목수라. 전에 우리 시아버지도 목수, 큰집 시숙도 목수, 작은 집 시숙도 목수, 집 지으러 당기고 그러더만. 시집 와서 보니 집 지으러 댕기고 그래.

□ 시숙들이 다 와서 그냥 뚝딱뚝딱 집을 지었겠네요?

자기들이 지었어.

□ 그럼 돈이 별로 안 들었겠는데요?

뭔 돈이 들어, 즈그가 지었는디.

□ 옛날에는 지금처럼 보일러가 아니었지 않습니까? 다 나무에다 땠을 건데 여기 뒷산에 가서 나무하셨어요?

암, 저기까지 댕기면서 나무 허고 그랬지. 그래도 남자 있다고 해도 나무 한 단 해다 주는 법이 없어. 나가 나무를 해다 땠지.

□ 그래도 볏짚이 나오고 그랬으니 그걸 때기도 하고 그러지 않으셨나요?

볏짚은 돈이 있는 사람이나 볏짚도 있지. 나는 이 집 지붕 이으려고 해도 남한테 일해주고 그래서 지붕을 이고 그랬어. 하루 일해 주면 짚도 일곱 단, 여덟 단 묶어주고 그래.

□ 그렇게 1년에 한 번은 갈아야 되잖아요?

암, 그랬지.

□ 그렇게 남의 일을 해주고 이엉을 이고 그러셨군요. 오늘 귀한 말씀 많이 들었네요. 오늘처럼 말씀 안 하시면 누가 알겠어요.

이제 모기가 달라드네.

□ 진짜 그만하라고 그런 것 같습니다. 귀한 말씀 많이 들었습니다. 고맙습니다.

소가사마을

지정자 님(75세)

"섭섭하고 뿌듯해도 삶은 계속된다"

내 고향, '중산'에서는

□ 어르신 고향이 어디세요?

율촌면 가장리요. 지금은 그런데 옛날에는 중산이라고 불렀죠.

□ 지금은 행정구역 이름이 바뀌었습니까?

이름이 바뀌었겠지. 나가 태어날 때는 거기서 태어나 크고 결혼은 요리(이쪽으로) 했죠.

□ 그럼 부모님이 자녀를 어떻게 두셨고 몇째이신가요?

6남매고, 그중에 첫째예요.

□ 육남매가 지금 다 생존해 계신가요?

둘이만 남았어요. 나하고 우리 남동생 하나하고. 여동생 서이, 남동생 하나 다 가고. 나하고 이제 육십 여섯 살 먹은 남동생 하나하고 둘이 남았어요.

□ 그럼 어르신은 몇 년도에 태어나신 건가요?

사십팔 년도요.

□ 우리 정부수립 됐던 해에 태어나셨네요?

예, 저희 낳고 우리 엄마가 거석(거시기) 면사무소에, 그러니까 반란사건 나던 해에 태어났어요.

□ 그러니까요. 그때 정부도 수립됐고 여순사건도 터졌고….

예, 여순사건 터졌을 때가 시월이라 놓은께 그때죠.

□ 그럼 어르신 생일도 시월이에요?

예.

□ 딱 그때 태어나셨군요.

예, 10월 12일.

□ 그러셨군요. 어르신 그 옛날 율촌면 중산리….

율촌면 가장리 중산이오.

□ 그 가장리 중산에 살던 집 생각나세요?

번지는 몰라요. 살다가 나 하나 결혼시켜놓고 우리 아버지가 돌아가시니께 가족이 딴 데로 떴죠. 부산으로. 집 팔고.

어릴 적 기억

□ 아니 제가 말씀드리는 거는, 그러니까 거기서 이제 상당 기간 살았지 않습니까?

예.

□ 그러니까 그 집 구조나 이런 것들이 생각날 거 아니에요?

생각나죠.

□ 그럼 방이 몇 칸이나 됐어요?

방 세 개, 부엌 하나.

□ 그때도 다 초가집이었죠?

네, 초가집이었는디 다음에 이제 개량했죠.

□ 그러면 부모님은 농사지으시고요?

농사지으시죠.

□ 거기에 친척들이 다 모여 살았습니까?

암요, 옛날에는 집단으로 모여 살았죠.

□ 집성촌이었군요.

예. 중산 지씨들이 거기서 살았죠.

□ 그게 중산 지씨 집성촌이었군요. 그러니까 동네 사람들
다 친인척들이네요?

다 친척이고 박씨들 몇 집 안 살고, 타성(다른 성)은 박씨
뿐이었어요. 김씨 한두 집 있고.

□ 그러면 거기서 아버님이 항렬이 좀 높은 항렬이었습니
까?

높은 항렬은 아니에요. 큰집 자손이라 놓은께.

□ 집안 형편은 어떤 정도였습니까? 땅도 있고 좀 그런 정도였습니까, 어떻습니까?

아, 그때요? 밭이 여덟 마지기 논이 너(네) 마지기인가 그랬어요.

□ 밥은 안 굶고 살 수 있는 정도였겠군요. 그러면 어렸을 때 친구들도 많이 있었을 것이고 자라날 때 동네에서 무얼 하고 어떻게 놀았습니까?

그냥 고무줄놀이나 줄넘기, 뭐야? 사방치기 그런 거나하고 놀았죠. 널뛰기.

□ 그네도 타셨나요?

그네도 타는데 나는 그네를 못 타서 안 탔어요.

□ 어지럼증이 있으셔요?

무서워서 못해요. 그네를 소나무에 묶어놓고 헌디 그건 못 탔어요.

□ 어렸을 때 어렸을 때 뭐 뚜렷하게 기억나시는 거 혹시 있으세요?

기억나는 거야 나 일해 먹은 거나 기억날까 뭐….

□ 아, 어렸을 때부터 다 시골에는 당연히 일시키죠. 무슨 일을 하셨어요? 뭐 빨래부터 시작해서 다 하시긴 했을 건데….

예, 목화 따고.

□ 목화도 하셨군요.

네, 목화 따고, 밭일하고 가을이면 친구들 하고 품앗이해서 삼 삶았어요.

□ 베도 짜고 그랬습니까?

예.

□ 그때는 다 그런 걸 일상적으로 했죠? 옷을 직접 지어 입던 시절이라.

미영(목화)으로 갖고 해 갖고 삼 갖고는 옷을 다 만들어 입은 께.

□ 부모님이 자녀들과 살가운 관계이셨습니까, 아니면 좀 엄격하셨습니까?

엄격해요.

어머니에 대한 '섭섭한' 기억

□ 아, 부모님이 엄격하세요?

우리 아버지는 그러지 않았는데 어머니가. 아버지는 천지서 다 호인이라고.

□ 어머니가 좀 엄격하셔서가지고 따님들을 매도 때리고 그러셨어요?

그랬죠, 어머님이.

□ 뭘 잘못하고 그러면 매를 드시던가요?

일 안하고 그냥 놀러가고 그러면.

□ 큰딸이라 더 그러셨을 것 같은데요?

네. 맨날 동생들 보라고 그러고.

□ 그러니까요. 그때는 다 저기 그런 식으로 컸지요. 아까 잠깐 말씀하셨는데, 동생분들이 혹시 시집장가도 들기 전에 병으로 돌아가신 분 있어요?

없어요. 다 결혼하고 애들 낳고 그러다가.

□ 율촌면에서 그렇게 자라셨고 거기서 사시다가 시집가던 해에 집이 부산으로 이사 가셨다고요?

날 시집 보내놓고 우리 집 큰 아들 태어나고 작은 딸도 태어났을 때 그때 아버지가 돌아가시자 부산으로 갔어요.

□ 자라나시면서 부모님 농사를 거드셨고, 가족들 가운데서나 동생들 가운데서나 어릴 적에 뭐 특별한 사건이나 이런 건 없었어요?

없었어요.

□ 무난했습니까? 사고나 뭐 이런 거 없이?

사고 없이, 우리 큰 동생 지금 살고 있는 곳이 (순천) 매 (산)중, 매고 장학생이었어요. 또 우리 막내 동생은 부산 제일고에서 또 장학생이었고.

□ 큰 동생이 매고, 매중을 나오셨네요? 거기가 기독교학교, 미션스쿨인데?

근디 돈이 없은 께, 가난한 께 그리로 갔죠.

□ 공부 잘하니까 장학금 받으려고 그곳으로 진학했나 보군요.

예.

□ 그러면은 어르신은 초등학교를….

안 다녔어요.

□ 그때는 또 다들 여자들을 안 가르치죠? 그런 시절이라.

안 가르쳤죠. 우리보다 돈도 많고 부자들도 안 보냈는디 보낼 수 없다고. 그래 갖고 나가 학교 가려고 보내주라고 막 떼를 쓴 께로 우리 엄마가 나를 방에다 가둬놓고 배깥(바깥)에서 문을 잠궈버리더라고요.

□ 아이고 그런 적도 있으셨군요.

그래 갖고못 배웠어요.

□ 엄청 서운하셨겠네요. 지금까지도 그게.

지금까지도 긍께 우리 엄마가 죽어도 나는 안 울었단께요.

□ 아, 그것 때문에요?

예, 못 배워 놓은께.

□ 아이구, 그러셨구나.

밑에 것들은 다 보냄시로(보내면서도).

□ 큰딸이라고 더 오히려 챙겼어야 되는데….

예.

□ 동생들은 보내셨어요?

그럼요. 다 보냈지. 다 영리해갖고 우등상 타고 뭣 타고 다 타고 상 타올 때마다 나는 울고 그랬죠.

□ 충분히 배우기만 했으면 하실 수 있었을 건데 기회를 그렇게 놓치셨네요. 근데 그 시절에는 또 그런 분들이 많았죠?

많아요. 우리 친구들도 큰딸로 태어나 갖고 애기들 보라고 동생들 보라고 (학교에) 안 가고 그래 놓은께 학교 3학년 댕기다 말고, 2학년 댕기다 말고…. 나가 그래서 지금도 나하고 아홉 살 차이 나는 동생, 갸가 혼자 사는 게 좀 짠한 맘이 들지요. 그래도 "그거 보라"고, 나 학교를 못 가게 해서 평생 밉더라고요. 딸이 셋이 태어나고 그 남동생이 태어났어요. 그랬는데도 그렇게 밉더라고요. (그 동생은 학교를 보내고) 나를 학교를 안 보내줘서.

□ 그렇군요. 부모님이 차별을 하셨다, 누구는 보내주고 누구는 안 보내고. 그러니까 집안이 학교를 보내주려면 충분히 보낼 수 있는 능력이 됐는데도 안 보내줘서 그런 거죠?

예전에는 초등학교도 납부금, 월사금이 있잖아요. 그게 부담되고 동생들 봐야 되고 집도 봐야 된다고. 옛날에는 집을 보고 그랬잖아요. 도둑과 거지가 많으니까.

□ 그렇죠. 그래서 나중에 부모님이 미안하다고 하시던가요?

미안하다고도 안 해요. 우리 아버지만 항상 나를….

□ 그러면 부모님은 언제 돌아가셨어요?

아버지는 돌아가신 지가 51년 됐네요.

□ 일찍 돌아가셨네요?

일찍 돌아가셨어요. 오십 네 살.

□ 병으로요?

예.

□ 어머니는요?

어머니는 팔십 여섯에 가셨어요. 지금 토끼띤게로.

□ 장수하셨네요.

예. 긍께 엄마 속 닮은 사람은 살고, 아부지(아버지) 닮은 사람은 다 죽었다고 올케들과 동생, 남편들도 다 그래요.

□ 그건 뭔 말씀이랍니까, 엄마가 무서우셨다면서요?

무서워도 엄마가 장수를 해놓은께.

□ (어머님이) 생활력이 좀 강하셨는가 보네요.

예.

□ 그래도 자녀들 다 키우시고 시집장가 보내시고 남편 일찍 떠나 보내셨는데도 그러기가 쉽지 않잖아요?

예. 그래도, 그래도 미운 마음뿐이라요. 제사도 안 가요.

□ 그럼 고향 친구들 가운데 일부는 학교를 다니는 친구들이 있었을 거 아닙니까?

4학년 댕기고, 몰라요. 졸업한 것들은 몇이 안 돼요.

□ 근데 그 친구들 학교 가는 모습 보면 많이 속이 상했겠습니다.

암요(그럼요).

□ 부모님은 자녀들에게 평소 뭐라고 가르치셨어요?

뭐라고 가르칠 거요. "뭐든 잘하라" 그리고 "잘해야 남의 집 가서 대우 받는다" 그리고 가르치지. 지금 맹키로(지금처럼) 어디 놀고 뭐 그럴 틈이 있었다요. 그저 명절 때만 놀지. 그때는 다 그랬어요.

딸(나)과 아버지는 '죽이 잘 맞아서'

□ 하루 종일 집안일 하시고 밭일하고 만날 그렇게 하셨는가요?

암요, 너무(남의) 밭 매로 댕기고 너무 모심으러 댕기고 그랬죠. 그것이 품팔이지요.

□ 남의 집 밭 매러 다니신 것을 대략 몇 살 때부터나 하셨어
요?

열다섯 살인가 열네 살인가 그때부터 했어요. 그때는 '한
갓모'라 그러면 밥도 안 주고 그냥 돈으로 주거든요. 그런 모도
심으러 댕겨봤고. 그러면 하루에 백 원 받고. 옛날 돈 백환.

□ 친구들 가운데서 가장 친하게 지낸 친구들 이야기 좀
해보세요. 어떤 친구들이 있으세요?

친한 친구들은 지금은 통화가 안 되고, 별로 안 친하게
산 것들이 통화가 잘 되고 뭐 잘 만나지고 그래요.

□ 어렸을 때 맘이 통하고 그런 친구들 이야기를 해보셔요.

그때는 서로 일 잘한다는 소리만 들으라고 했죠. "누구
딸 일 잘 한다, 누구 딸 일 잘 한다"고….

□ 아, "일 잘 한다"는 소문이 나야 또 시집도 잘 가고 그런다고 그때는 그랬었죠?

예, 또 옛날에는 저녁에 어디 마실도 못 가게하고 그랬어요.

□ 연애 건다고요?

예. 우리 엄마가 어쩐지 아요? 어디 그 가설극장 있잖아요. 그것이 저기 율촌 가면 당목이라고 있어요. 초등학교가 거기 있어요. 거기 가설극장이 들어오면 (다들) 가요. 가면 나는 '또 난리 날 것이다' 싶어서 이제 딱 문 닫고 들어가서 딱 불 끄고 숨도 안 쉬고 이불 둘러쓰고 드러누워 있으면 애가 없다고 우리 엄마가 그럼 온 동네 악을 쓰고 댕기요.

□ 집에 있는데 그걸 모르시고….

예. 집에 가있는데. 그러면 아빠가 "아무 말도 말고 있어라, 느그 엄마 얼마나 고생하고 오는가 보자" 그래요.

□ 일부러 골탕 먹이려고요?

예, 아버지가 골탕 먹이려고요. "정자 나가붓네" 아빠가 그러면 (엄마는) 우리 집에서부터 악을 쓰고 나가면서 온동네를 다니다가 없다고 돌아와요. (아빠가) "어디까지 갔다 왔는가?"라고 물으면 "어디까지 갔다가 왔다"고 해요. 그럼 "정자 방에 자고 있네" 그러죠.

□ 이불 속에서 엄청 웃으셨겠네요?

암요, 웃죠. 웃기도 하고 (엄마가) 밉기도 허고.

□ 아니 그러면 가설극장 그런 곳에 구경가고 싶었고 친구들도 막 몰래몰래 가고 했을 텐데요. 그러면 한 번도 못 가셨어요?

못 갔어요. 한 번도. 콩쿨대회를 해도 콩쿨대회도 못 가요.

□ 아, 그러셨군요. 그래서 어머님을 더 밉게 생각하셨겠네요.

예. 지금도 우리 친구들 모이면 그런 소리를 해요.

□ 그래도 15살, 이 무렵 때는 다 호기심도 생기고 그런

데 가보고도 싶고 다 그럴 때인데요.

그런게 말이에요.

□ 그러니까 집에서 주로 일을 하시고 밭일이나 할 때나 바깥에 나가보시고 거의 그 정도네요. 동생들 키우고.

예.

□ 누가 크게 아팠거나 어르신이 아팠거나 그런 일은 없었어요?

없었어요.

□ 다 건강했어요?

건강했다가 갑자기 우리 아버지가 위암으로 돌아가셨죠.

□ 아버님이 동네에서 호인이라고 그러셨는데….

예, 지금도 우리 친구가 여기 나를 만났다고 하니까, 우리 아버지 이야기를 하더래요. 그 친구가 집안의 오빠 딸이라 날 보고 고모라고 그래야 되는데 친구다 보니 고모라는 소리도 안하고 친구로 지내요. 근디 그 친구가 우리 아버지에 대해 "참 그 아재 같은 호인은 없다" 그런 말을 했어요. "느그 아버지가 그렇게 호인이었는가 보더라잉" 그 집안 오빠가 교장님이에요. "올 아버지가 그런 소리를 허더라" 그러길래 "우리 아버지야 천지간에 다 알아주지 뭐"라고 했죠.

□ 그 당시에 율촌면이 상당히 컸죠?

암요, 중산만 해도 100호가 넘었어요.

□ 와, 100호가 넘었다니 엄청 큰 마을이었네요? 마을에 혹시 기억나는, 예를 들면 당산나무가 됐든 뭐 정자 같은 거 이런 게 있었나요?

그럼요. 당산도 있고 정자도 있고, 놀 때는 그런 데 가서 놀고 그랬죠.

□ 할머니, 할아버지는 안 계셨어요?

우리 아버지가 작은아들이라.

□ 아, 그러셨군요. 명절 때면 다 친인척이 주변에 살아서 재미있었겠습니다. 서로 싸우실 일도 거의 없었겠고요. 다 친 친척들이라.

□ 예.

일 잘하는 여성, '맏며느리감'

□ 그럼 동네 어르신들이 "일 잘 한다"고 칭찬 많이 하시던 가요? 맏며느리감이라고.

그랬죠. 그래 놓은께 일찍 결혼을 했죠.

□ 몇 살 때 결혼하신 거예요?

19살 때요.

□ 아, 일찍 결혼하셨군요. 하긴 그때는 다 일찍 결혼했죠?

일찍 결혼했어도 내가 제일 먼저 결혼했어요.

□ 친구들 가운데서 가장 빨리 결혼하셨어요?

예.

□ 시집가기 전까지 혹시 기억나는 사건이나 집안의 사건이나 동네 사건이나 이런 건 없었어요?

그런 걸 어찌 알겠소. 뭐 사고 날 그런 것도 없고 맨 집안 내 오빠들이고 다 조카들이고 그래서.

□ 1948년에 태어나셨고, 1960년 4.19혁명, 61년도에 5.16 쿠데타가 일어났지 않습니까? 그런 것들도 잘 모르시고 그냥 자라나셨겠네요?

암요.

□ 새마을운동 이런 것도요?

새마을운동은 댕겼죠.

□ 그거 생각나시는 거 있으시면 한 번 이야기해보세요.

우리 동네에는 큰 내가 있어요. 두메산골에서 물이 모여 갖고 내려온께. (새마을운동 시기에) 홍수로 거기 밭이고 논이고 다 쓸어버렸지요. 그러면 다들 집에서 다라이(대야) 하나씩 갖고 가서 남자들이 삽으로 쳐 부어 주면 여자들이 그걸 가져다가 방죽 막고, 뚝 막고 그런 일을 했지요. 그런 일을 힘시롱 밀가루를 타다가 먹고 그랬어요. 그리고 강냉이 가루, 박정희 때 그런 거 타다 먹고 그랬죠. 또 사방에 나무 심으러 다니고, 지금 보면 다 문댕이 같은(몹쓸) 나무를 심어갖고 산을 다 베려 부렸죠(망가뜨렸죠). 아카시아 이런 걸 심어갖고. 지금 그때 심은 나무들이 그대로 지금 있는 거죠.

□ 그럼 그때 사방댐 공사를 한 거예요?

예. 홍수나면 논밭을 다 덮어버리잖아요. 둑이 무너져갖고 그러면 다시 논 찾으려고 다 고생하니까. 홍수나면 자갈, 모래, 돌 같은 것이 논을 막 다 덮어버리잖아요. 그걸 다 치워

내고 그런 일을 했죠.

□ 남자들하고 온 동네 사람들이 가서 일 했네요?

암요. 그것도 "누구 집이 오라, 누구 집이 오라" 그러고.

□ 그때 공사한 사방댐이 아직도 남아있어요?

암요.

□ 그렇군요.

우리 중산, 거기가 옛날에는 사람 살기 좋았는데, 지금은
아무 발전이 없어서 그대로 있어요.

□ 옛날 그대로 있어요? 거기에 한 번씩 가보세요?

가지는 안하는데 지나가면서 보지요. 거기가 발전이 될
수가 없어. 뺑뺑 둘러 산이 막혀갖고 무슨 발전이 되겠어.

□ 옛날에는 백호가 넘는 집들이 있었고 살았는데 지금은 다 빠져나가버렸죠?

다 빠져나갔고, 우리 집안도 아무도 없다요. 몇 집 안 산다요.

□ 아 그래요?

그렇게 많이 살던 사람들이 다 시내로 빠져나가고. 타 동네, 타지역 사람들이 많이 와서 살고 그런다요. 발전이 안 된께.

□ 그러군요. 어르신 자라실 때만 하더라도 다 나무 해다가 불 때고 그랬던 시절 아닙니까? 그 시절 집 나무는 아버님이 해오셨나요?

아버지도 허고 나도 허고 같이 했어요.

□ 땔나무를 같이 하셨어요? 거기 무슨 선산이 있었어요?

선산은 없고 남의 산에 가서 좀 해갖고 오고 그랬죠.

□ 그렇게 불 때고, 초가지붕 이엉은 일 년에 한 번씩 바꿔야 되지 않습니까, 그런 거는 어떻게 하셨어요?

짚을 갖고 하지요.

□ 아버님이 하셨나요?

예. 날개 영거(엮어)갖고.

보릿고개보다 더 힘들었던 건, 학교 못 다닌 것

□ 그때 당시에는 다 똑같이 비슷하게 그렇게 살았으니까 '고생한다' 뭐 그런 생각도 없었죠? 남들 남들도 다 그렇게 사니까.

암요. 다 그렇게 산께. 좀 있는 집에는 쌀밥도 먹고 그런다 그거지, 나머지 사는 거는 다 똑같아요.

□ 그때는 보릿고개도 있지 않았습니까?

보릿고개도 있고 그랬죠.

□ 그러니까 그 보릿고개 때는 어떻게 하셨어요?

저는 몰라요. 그렇게….

□ 그러면 어르신 집은 그래도 보릿고개 때 밥 굶고 그러지는 않았는가 보네요?

예. 밥 굶지는 않았어요. 품을 팔아먹어도 아버지가 일을 잘하신 께로.

□ 그러니까 땅이 많지 않지만 그래도 자기 소유 땅이 있으니까 그랬나 보군요.

예.

□ 그 시절에 학교 못 간 것이 가장 좀 서러웠고 나머지 혹시 뭐 가장 슬픈 기억은 없으세요?

슬픈 기억은 없고 학교 못 간 것만 평상(평생) 나가…. 그것이제, 다른 거는 없어요.

□ 너무 힘들었다, 뭐 슬펐다, 뭐 이런 건 없고요? 별로 기억 나는 게? 아버님 돌아가셨을 때 좀 슬프셨을 것이고…. 그럼 가장 즐거웠던 그런 기억은 없으세요? 그 시절?

즐거웠던 것은 별로 없고요, 주로 우리 집에서, 집이 너르 니 할아버지, 할머니도 안 계시고 그러니까 맨날 뭐 옛날에는 '대리'를 많이 했잖아요. 그러면 우리 집에서 해요.

□ 대리가 뭐예요?

대리라고 옛날에는 저녁에 쌀 한 주먹씩 갖고 와서 밥 해갖고 믹고 놀고, 에들이 너무(남의) 팥 밭에 가서 팥 뽑아다 가 나물하고 시금치 캐다가, 돌라다가 먹고.

□ 그걸 대리라 그래요?

예.

□ 그런 게 있었군요. 그러니까 친구들하고 같이 모여서 저기 남의 집 나물 갖다가 밥 해 먹고 놀고 사랑방에서 이야기하고 놀고. 그게 겨울에 그러는 거지요?

예. 겨울에.

□ 농한기 때 그 재미가 상당히 쏠쏠하셨나 보군요.

암요. 쌀도 또 한되 박씩 거둬 갖고 도구통에 빠숴 갖고 떡 대리한다고 그랬죠.

□ 그렇군요.

그래 갖고또 머시마들(남자애들)이 돌라간 께로 저녁내 불 때갖고 지켜앉아있어야 돼요.

□ 그때 머시마들 가운데서 어르신을 좋아하는 머시마(남자애)는 없었습니까?

다 집안(친척)인데 뭐 어디가 있겠어요.

□ 그러겠네요. 진짜. 한 동네가 다 집안이라 그러기도 쉽지 않겠네요. 그런 점이 있구나.

그럴 때가 제일 재밌고….

□ 또 명절 때나 좀….

예.

나를 예뻐해주신 유일한 가족, 아버지

□ 집안에서 누가 그렇게 어르신을 이뻐해줬습니까?

울 아버지나 좀 이뻐했죠.

□ 아버님한테 사랑을 많이 받으셨고.

예.

□ 큰딸로 고생한다고요?

예, 고생한다고 뭐 있으면 꼭 나만 주지 다른 애들은 안 주고.

□ 아버님이 그래도 큰딸을 많이 챙기시겠네요?

예. 긍께 엊그저께도 우리 손지(손자) 보고 이야기했지만, 그전에는 솔밭이 있응께 비가 오면 울 아버지가 논에를 가요. 비를 맞고 논에 물기 보러 간다고 가면 갔다 오다가 지금 같으면 송이여요. 송이가 (두 손으로 큰 송이 모양을 묘사하며) 막 이래요, 그런 놈을 딱 따갖고 와서 호박잎에다가 딱 소금 넣고 불 때서 구워 갖고 나만 줘요.

□ 와, 특별하게 챙기셨네요.

예. 그리고 또 장어도 민물장어를, 지금은 나가 비린내가 나서 잘 안 먹은디 (어릴 때) 나가 키가 째깐했다요. 키도 작고 무얼 잘 안 먹고 그러니까 우리 아버지가 나만 챙기면 우리 엄마는 또 나만 챙긴다고 "가시내 새끼 뭐하러 챙기냐?"고 그러죠. (그러면 아버지는) "가시내들을 챙겨야지 나중에 너무 집 가서 못 얻어먹고 그러는데 그런다"고···. 또 우리 아버지가 내 생일이면, 생일이 좋은 때 들었다고, 농사 다 지어 쌀 찧어 놓으면 생일이라고, 나 생일에 우리 아버지가 꼭 닭 잡고 울엄마 보고 찰밥 허라고 허고 그랬어요. 나 생일 때만.

　　□ 와, 아버님이 진짜 아주 특별하게 챙기셨네요? 그 시절 그러기 쉽지 않은데···.

　　닭 잡아갖고 꼭 생길 때면, 지금도 나가 그래서 (친구들) 모이면 그 소리를 해요. 울 아버지는 나 생일 때 꼭 닭 잡고 찰밥 허고 그렇게 해서 줬다고.

　　□ 다른 친구들은 그렇게 해준 아빠 두신 분이 없죠?

　　없어요. 지금도 친구들 모이면 그 때는 민물장어가 셌잖아요(많았잖아요.) 자연산 민물장어. 그거 잡아다가 삶아갖고 죽 쑤어놓으면 그 죽을 돌라먹었다고 진구들이 그런 말을 해요. 그러면 나는 우리 아버지가 해줬는데, 그러죠.

　　□ 엄청 부러워했겠네요.

　　예. "하기야 느그 아버지가 너한테 얼마나 잘하냐" 그랬죠.

□ 그때는 그렇게 장어가 그렇게 많이 있었습니까, 동네 시냇가에?

암요, 동네 둠벙 같은 데에 물만 퍼내도 있고.

□ 붕어나 뭐 이런 것들도 있고요?

붕어는 별로고 장어 그런 게 많이 있었어요.

□ 아, 그때는 오염이 안 돼갖고 그랬군요.

예.

□ 아버님 생각이 많이 나시겠네요?

지금도 아버지 생각뿐이 안 나요.

□ 근데 아버님은 술 담배는 안 하셨어요?

술 담배 했죠. 옛날 사람 치고 안 먹었다고 하면 별 소리지요. 담뱃대에다가….

□ 근데 술 드시고, 약주 드시고 주정을 하시거나 그러지는 않았죠?

그러진 않아요. 딱 술 잡쉈다면 와서 주무세요.

□ 그래요? 아 진짜 얌전하시네요.

누구 집이 뭔 잔치 했다 그러면 그 집에 가서 잔치 끝날 때까지 일을 봐줘요. 음식을, 요리를 다 잘해요. 뭐 생선 같은 것도 딱 사다가 해놓으면.

□ 아버님이 뭐 생선요리 같은 거 하신다고요?

예, 생선요리도 그렇게 잘 허고 옛날에는 시집장가 가면 삼각상 이런 거 차리잖아요. 큰상이라고 신랑상도 차리고 그런 거 전부 다 동네 댕기면서 울 아버지가 다 했어요.

어머니께 배운 것

□ 아, 제사상 차리는 거 그런 것도 잘하시고 그랬군요.

예. 그랬어요.

□ 어머님한테 배운 건 뭐 있습니까?

엄마한테 배운 거는 살림살이 하는 거, 베 짜는 거 이런 거죠. 베도 나는 조금 짜다가 시집 왔어요. 베 짜는디 안 여운다고 우리 엄마가. 힘든께.

□ 본인이 베 짜시면서 너무 힘드셨는가 보네요.

날마다 남의 베 짜러 댕겨놓은 께. 베를 잘 짜신께요. (나는) 베 짜는데 안 여운다고 그러셨지만, 여기로 온께 베 짜라고 그러데요.

□ 어르신님은 몇 세에 시집을 가셨습니까? 결혼은 구식으로 하셨나요?

19세에 중매로 했고, 구식으로 했죠.

☐ 중매로 그러면은 신랑 얼굴이나 보고 하셨어요. 어쩌셨어요?

맞선은 봤죠(웃음).

☐ 아, 맞선을 보셨어요? 그러셨군요. 맞선 보니까 신랑이 좀 마음에 들던가요?

안 들어요. 열아홉 살인데 뭘 알 거요. 철도 모르지.

☐ 아, 신랑되실 분 얼굴을 보고 마음에 안 들으셨어요?

마음에 안 들었지요.

☐ 얼굴과 집안 중에 어느 게 마음에 안 드셨나요? 아니면 둘 다 맘에 안 들던가요?

얼굴도 글고….

□ (웃음), 그런데 왜 시집 가셨어요?

어른들이 가라면 가고 오라면 올 때 아니요? 그때는 옛날에는.

□ 선택권이 없었어요?

암요.

□ 그러셨구나. 그러니까 "양가 집안에서는 가라"고 하던가요?

(집에서는) 가라 그러고, 나는 안 간다고 그랬어요. 모르고 무섭고….

□ 부모님이 열아홉 살 때까지 바깥에 나가지도 못하게 맨날 일만 시켰다면서요? 콩쿨대회나 이런 거 구경도 못하고….

예. 콩쿨대회 구경도 못하고.

□ 그러다가 인자 시집을 가라고 그러니까 무척 당황스러우셨겠네요. 그래서 꽃가마 타고 가셨어요?

꽃가마 타고 갔죠. 가마도 저 건네서 여기로 타고 왔어요. 버스로 와갖고.

□ 그러셨군요. 그럼 꽃가마가 어디서부터 출발했어요?

저 건네 관기서 여기로요.

□ 그럼 관기까지는 버스를 타고 오신 건가요?

예. 그때는 길도 없고 농로로 왔죠.

□ 그래도 (결혼을) 구식으로 했지만 버스도 타고 오시고 그러셨네요. 그러니까 그때 시집 올 때 관기를 처음 구경하셨겠네요.

예, 그때는 덕양도 몰랐죠. 처음에 덕양 삼거리서 내려갖고 여수 화양 들어가는 버스를 타고 와서 관기서 내렸죠. 관기 온께로 꽃가마가 대기하고 있더라고요. 그래 갖고여기로 타고 왔죠.

□ 그때는 여기에 버스도 안 다닐 때죠?

버스도 없고 길도 없어요.

□ 이 동네 오시면서 '어찌 산속으로 들어간다냐?' 뭐 그런 생각이 있었겠네요?

그렇죠.

□ 아무래도 원래 사시던 고향보다 여긴 더 시골 아닙니까? 그때 당시에는.

암요. 그때 당시에는 거기는 그래도 차가 시간마다 댕겼는데 여그는 버스도 없고.

□ 근데 시집오실 때 집안이 어떻다고 하던가요?

집안 어른들끼리 한께 모르죠.

□ 집안사정도 모르고 오셨어요?

암요. 어른들끼리 이러고저러고 해놓은께.

□ 그럼 올·때부터 좀 많이 우셨겠는데요?

그랬죠. 아무래도. 우리 집안의 할아버지 된 사람들이랑
다 이제 옛날에는 그럴 듯한 사람들 많잖아요. 또 우리 아버지
가 집 안에서 잘해놓은 께 또 뭘 물어보면 다 가르쳐 주고
다 잘 해 주고…. 그 정씨는 괜찮은 정씨다 한께.

□ 어르신님이 아버님을 많이 따르셨잖아요? 아버님이 말씀
이니까 그냥 순종하셨군요.

예. 우리 아버지는 그래도 안 여울라고 그랬어요. 우리
엄마가 그렇게 나를 여울라고 그랬죠.

□ 신랑(정병채)과 나이 차이는요?

일곱 살 차이. 긍께 무섭죠.

8남매의 장남, 나이 많은 신랑과의 신혼생활

□ 아, 그랬군요 그래도 신랑이 좀 따뜻하게 잘 대해주시던 가요?

아니요. 아, 형제간이 많은데 뭘 얼마나 허겠소. 팔남매에서 장남인디.

□ (신랑이) 팔남매에서 장남이셨군요. 그러니까 장남과 장녀가 결혼하셨네요?

예.

□ 그러면 형제들 챙기고 어쩌고 아무래도 꿩장히 일이 많잖아요. 또 제사도 잘 다 챙겨야 되고….

암요. 제사도 일 년에 여섯 번을 지냈어요. 할아버지 살아계셨고….하여튼 한 달에 한 번씩이라요.

□ 어르신들도 모시면서 그렇게 지내셨군요.

예.

□ 농사는 얼마나 하시던가요?

농사는 째간(조금)하더라고요. 밭만 많지 논은.

□ 그러면 주로 밭일하시고 또 제사할 때는 음식 다 챙기시
고 뭐 그러셨군요.

예.

□ 자 그렇게 이제 신혼을 생활하셨고 그때가 대략 몇 년도
인가요?

내가 48년생이고 열아홉 살에 시집왔으니까, 하여튼 육
십 몇 년일 꺼요. 우리 큰아들이 육팔 년 생인께…. 시집 와서
3년 만인 68년에 큰아들을 낳았어요. 그러니까 66년이 맞겠
네요.

□ 시집 오신 지 3년 만에 큰아드님을 낳으셨다니, 조금 늦으셨군요. 애가 안 생긴다고 어른들이 좀 뭐라고 하진 않던 가요?

안 그래요. 즈그 애기들이 많은데 뭐 그런 걸 신경 쓰것소. 즈그 애기들이 많은디. 긍께 손지를 낳아놔도 뭐 반갑다고 허지도 않고 이뻐라고 허지도 않고….

□ 그래요? 옛날에는 아들 낳는 걸 엄청 중요하게 여겼는데 요?

예, 근데 그런 것도 없고 시아버지, 시어매는 그런 것도 없고 할아버지가 좀 좋아라고 그러더라고요.

□ 할아버지가 예뻐했어요?

그 할아버지도 욕심 많아갖고 이뻐한 것도 없고 그냥 '아들인 게 좋다' 그거이제.

□ 아하, 그랬군요. 그럼 집에서 낳으셨어요?

암요, 집에서 낳죠.

□ 누가 애를 받아줬어요?

할머니라고 이를테면 우리 할아버지 제수죠. 제수씨. 그 할머니가 우리 할아버지로서는 작은 엄마되실 거요. 작은 엄마 그 사람이 받아줬어요.

□ 개인적으로는 삼년 만에 아들을 낳았는데 좀 마음이 불안하거나 그러지 않으셨어요? 그래도 시집 왔는데 애가 안 생기니까….

(불안하지) 안했어요. 그런 것도 모르고 통~ 귀찮은께. 일만 하느라고. 식구들 밥 해먹이느라고.

□ 몸이 힘들어서 애가 늦게 들어선 것 같군요.

몰라요. 그랬는가 어쨌는가도 모르고 힘들었어요. 힘들어. 애도 안 낳고 싶고 어디로 그냥 도망을 몇 번이나 가려고 마음을 먹었다가 그냥 우리 아버지를 생각해서 주저앉고 또 주저앉고 했죠.

□ 아, 그래요? 너무 힘들어서요?

너무 살기가 힘들었어요.

□ 어떤 부분이 힘드셨어요? 그러니까 식구 많은 데서 아침 새벽부터 밥해서 먹여야지 빨래해야지 청소해야지 밭 매야지 시골 일거리가 천지였지 않습니까?

날마다 (일거리가) 쌓였죠, 쌓여. 시집이라고 온께 열아홉 살이고 (아직 나이가) 작다고 작은 일 안 시키고 어른 일 시키고 그랬어요. 빨래 하기가 너무 힘들었어요.

□ 누가 도와주는 사람이 없었어요? 빨래는 어디서 하셨어요?

도와주는 사람이 없어요. 이쪽에 가면 둠벙(웅덩이)이 있어요. 거기까지 이고 가서 하면 옛날에는 손빨래, 손으로 다 하잖아요. 세탁기가 없잖아. (손가락 끝을 가리키며) 요런 데가 피가 다 나고 그래도 그 시어매가 빨래 하나 안 거들어주고 저 빨래를 태산 같이 저기 따신물(더운물) 데(데워) 갖고 잿물에다가 주물러갖고 이제 가서 빨면 오전에 다 못 다 빨잖아요. 그러면 "점신 때 됐다. 정신 차려라" 불러요.

그러면 (빨래를) 빨다가 그놈 놔둬불고 들고 와서 옛날에는 점심을 양판이나 바구리(바구니)에다 담아 갖고 큰 솥에다가 그놈을 불 떼 갖고 채라(차려) 주잖아요. 따시게 해갖고, 팔팔 삶아갖고, 디피(덮혀)갖고 그걸 채라주잖아요. 그렇게 (밥상을) 채라드리고 또 가서 빨래를 하루 종일…. 피가 (손가락을 가리키며) 이런 데가 다…. 검은 잿불하고 꺼멍(까만) 비누, 잿물비누하고 그런 거 갖고 막 문대서 시끄다(씻다) 본께 피가 나요. (손가락들에) 피가 나가고 험해도, 시로 와서(손가락이 시리어서) 반찬을 못 주물러도 시어매가 와서 그거 하나 안해 줘, 불 한 부석 안 떼 줘요. 절대.

난 미역국이 싫어요

□ 시집살이를 아주 혹독하게 하셨네요.

  말도 못해요.

□ 그러셨군요.

  애 낳아도 누가 애 낳았다고 누가….

□ 뭐 미역국도 안 끓여줘요?

미역국은 끓여주죠 미역국은 끓여주는데 나는 또 이상하게 애를 낳으면 미역국이 그렇게 안 묵고 싶고 그냥 막 미역국만 쳐다보면 체력 오바이트(구토)가 나오더라고요. 지금도 미역국 잘 안 먹어요.

□ 미역국이 체질에 안 맞나 봅니다.

근데 어쩌다가 몸에 좋다고 '먹어 볼란다' 그러면 지금도 그 생각이 나갖고 그냥….

□ 그러셨군요. 그럼 억지로 드셨겠네요?

묵도 안 허고 그냥 그래 갖고애 낳은 사람이 빼빼 말라도 누가 약 한 첩 사다준 사람도 없고 밥을 못 먹어서 그렇게 말라도.

□ 그러면 애 낳고 좀 몸을 풀도록 좀 그래도 쉬기는 쉬도록 해 주셨어요?

147 지정자 님

그냥 내일이 (애 낳은 지) 일주일이다면 애 낳고 이레 만에, 내일 아침에 (시어머니가) "내일이 일주일인께 나와서 밥 해먹어라!" (그러더라고요.)

□ 일주일 만에요? 아이고 울기도 엄청 우셨겠네요.

올 줄도 모르고 그 때는 그냥 어떻게든 이 집을 나갈란다, 나가란다고….

□ 근데 큰아드님을 낳고 아무래도 아드님이 있으니까 정 붙이고 살려고 그 뒤부터는 그러지 않으셨어요?

아들을 그렇게 낳으면 할아버지가, 우리들 같으면 할머니 할아버지가 손주가 엄청 예쁘잖아요. 자기 자식보다 더 예쁜디 아예 쳐다도 안 봐요.

□ 희한하네요. 왜 그랬을까요?

팔푼이 시누가 있었어요. 그 시누가 홍진하고 있는디 옛날에는 마루가 있잖아요. 큰돼지가 교미를 해서 이제 나와갖고 그냥 걷어붙는 갑데요. (큰돼지가 우리에서) 나와 갖고 마루에 드러 누워있던 시누를. 시누가 마루에서 떨어져갖고 크게 다쳤어요. 아범이 온 천지로 데꼬댕기면 낫았는디 팔 하나가 불편하고 말도 좀 늦고 그래요. 근디 그래도 사는 게 괜찮더라고요. 손만 그렇지. 예쁘게 생겼고 그런디.

□ 그런 일이 있었군요.

시누는 둘이 있었고, 남자는 여섯이고 할아버지 계시제, 그러니 나가 얼마나 살기가 힘들었겠소. 그런다 해서 시어머니가 뭐 아무것도 안 해줘요.

□ 그렇게 큰아드님 정원오, 큰아드님을 낳으셨고 어떻게 키우셨나요?

세 살 날 때부터는 즈그 외갓집에 보내부렀어.

□ 그래요? 왜요?

외갓집에는 이모도 있고 또 삼촌도 있고 할머니도 있고….

□ 아, 이 집은 지금 식구가 많고 힘드니까 그런 건가요?

예. 또 (여기서는) 애를 안 예쁘다고 허고. 거기서는 다 귀염둥이죠.

□ 그러면 세 살 때부터는 몇 살 때까지요?

그래 갖고 거기서 있다가 네 살 먹어서 왔은 께 거짐(거의) 1년 보냈어요.

□ 외할아버지 외할머니가 엄청 예뻐하셨겠죠?

예. 그랬는디 또 인자 (이 집에서는 애를) '안 딜고(안 데리고) 온다'고 이뻐도 허지도 않으면서. 안 데꼬(데리고) 온다고 뭐라고 했싸서(하곤 해서) 데꼬 왔어요. 그래 갖고는 우리 아들이 째간 할 때부터 야무단(똑똑하다) 말이요. 노래를 시켜서 노래를 하는디 뭔 노래를 불렀는가, 하여튼 즈그 할아버지가 노름을 잘했어요. 맨날 즈그 아버지가 이렇게 댕김선(다니면서) 돈 벌어갖고 오면 목화 장수했다가 뭐 했다가 돈 벌어놓으면 노름으로 싹 다 떼불고 돈도 없고 그런께 동네 사람들이 그걸 노래를 가르쳤는가 봐요, 허는 거 볼라고. 뭐라고 허더라. "정○○이 노름 엔간히(어지간히) 하시오 우리 아버지 살기 힘드요" 그런 노래를 거기(부산)서는, 그 동네에서는 그렇게 했는가 봐요. 그래 갖고 여기 와서 혼자 부른다고 부른 거야. 그 소리를 즈그 할아버지가 들었어 이제. 그래갖고는 글 안 해도(그렇지 않아도) 안 이뻐라 하는데 보기만 보면 회초리로 뚜드러(두둘겨)패요. 그러니까 매 안 맞으려고 저 작은 집으로 가요. 그 집도 곤란허게 산께 밥도 없어. 보리밥 먹으려고 보리만 와글와글 허는 걸 그래도 즈그 고모가 믹여(먹여) 살렸어요. 그래 갖고오다가 즈그 할아버지가 마루에 앉았으면 그냥 뒷걸음질로 주적주적 뒤로 가다가 가갖고는 이제 앞으로 달려부러요(달려가요).

   □ 작은 집 고모가 많이 챙겨줬군요.

   예. 작은 집 고모가, 큰 고모가. 그래서 이제 데꼬(데리고) 가서 밥 믹여서, 거진 일 년을 그랬어요. 그래 갖고 (집에) 오다가도 인자 (할아버지가) 있으면 담장 밑에 쪼그려 앉았어요. 꼭 애기가 개구리 같아요. 빼빼 말라 갖고는 긍께 엊그저께도 이 작은 어매가 (우리 큰애가) 저기 울타리 밑에 담장 밑에 울고 앉았으면 '저것이 (커서) 사람이 될라디야' 그랬지만 그래도 커서 이렇게 높은 사람이 됐다고.

세 자녀들과 그들의 조부모님 관계

□ 그래요. 그럼 둘째는 언제 낳으셨어요?

둘째는 큰아들하고 두 살 차이 딸(정원애)이에요. 글고 그
밑에 정원석, 그래서 삼남매.

□ 큰아드님은 그러니까 어렸을 때 할아버지한테 미움을
받았고….

할머니 할아버지한테 다(미움 받았어요)….

□ 그럼 나머지(정원애, 정원석)는요?

딸도 그랬는디, 이제 원석이만 좀 사랑을 받다가…. 어찌
철이 들었는가 어쨌는가 원석이를 이뻐라 하더라고요. 영감이
이뻐라하니까 또 할멈도 이뻐라 하데?

□ 크면서 잘 자라고 하는 모습이 보면서 예뻐했나 봅니다.

그랬는가 어쨌는가, 그리고 굵은 것들(원오, 원애)은 둘이

갓다리(가짜)고 완전히 인자 그것(원석)에만 빠져 갖고 원석이만 예뻐해요. 막내만.

　□ 희한하네요.

　그래 갖고데꼬 댕기면서 온 천지로 다 다녔어요. (원석이가) 다섯 살 먹었을 때 즈그 할아버지가 돌아가셨거든요. 저 관기로, 여기 현천으로, 어디로….

　□ 아, 놀러 갈 때 항상 데리고 다녀요?

　예. 데리고 댕기고 그럼서 그렇게 그것만 이뻐하더라고요.

　□ 그러셨군요. 보통은 큰 아들을 예뻐하는데….

　예. 큰 손지가 예쁜데 그거는 안 이뻐하더라고요.

　□ 그래도 큰아드님은 돌 때 사진도 찍고 그러잖아요. 혹시 안 찍으셨어요?

안 찍었어요. 그때 뭐 돌이라고 모이고 사진 찍고 그런다
요. 돌잔치도 안 해주더라고요. 그래 갖고 우리 동생들이 (애기)
사진 좀 찍어서 보내라고 그래서 나가 어찌 덕양 나갈 일이
있어서 (아기를) 업고 나감시로(나가면서) 가서 사진을 찍었어
요. 그때는 애기들을 깨댕이를 벗겨(발가벗겨)갖고 찍어요. 백
일 사진을 찍을 때. 그래 샀고 백일 안에 그거 사진을 가서
찍어갖고 왔는데 또 못된 시누가 얼른 사진을 갖고 가서 즈그
어매, 즈그 아버지한테 보여줬어요. 긍께 지애미 "지 애비는
사진 하나도 안 찍어줌시롱(안 찍어 주면서) - 누가 찍어줄
꺼요 그걸 - 지 새끼는 낳은 께 사진 찍어줬다"고 그걸 갖고
얼마나 나가 시집을 살았는가, 아이고 말도 못해요. 그래 갖고
그거 사진도 없어요. 어디로 가부렀는지.

□ 아이고, 그러셨군요. 어렸을 때 그 사진 있었으면 좋았을
텐데 아쉽네요.

그래 갖고 사진 하나도 안 찍었어요. 못 찍었어요. 하도
그 사진 한 장 찍어 갖고 와서 그렇게(시달려서)…. 옛날에는
(사진관에) 가서 찍잖아요. 우리 큰아들 업고 가서 그 사진을
갖고 온 께로….

남 앞에서 말하기 좋아했던 큰아들 이야기

□ 큰아드님(정원오)이 어렸을 때 뭐 병치레를 하거나 무슨 사고가 있었거나 이런 건 없어요?

없었는디 5학년 때인가 4학년 때인가, 아, 4학년 때 갔구나. 우리 친정이 부산으로 이사하러 간께, 즈그 아버지가 공부 시킨다고, 자기도 못 배왔고 나도 못 배왔고 긍께 어쨌든지 아들을 가르친다고 그리 떼서 보내놓은 께, 전학을 시키놓은 께 중학 중학교 2학년 댕기다가 요리 도로 왔어요.

□ (큰아드님이) 부산에서 크셨군요.

예. 왜 그랬냐(부산에서 댕기다가 이곳으로 왔느냐) 그러면 그리 백인이라고, 우리 아들이 훡허단(하얗다) 말이요 살결이.

□ 아, 그래요?

예. 그러면 부산 가면 부산에는 전부 다 거무튀튀 다 바닷

바람 맞아 그렇게 되잖아요. 그러면 목욕탕에로 가면 백인이
라고 놀려대고 놀려대면 울고 그래 갖고또 어찌됐는지 그렇게
잘 다쳐싸요. 팔도 다치고 뼈 다쳐 부러져서 깁스 해갖고 댕기
지 또 한 번은 옆집 개가 물어가고 그래서는 그 뒤에부터는
계속 안 돼서 우리 언니가 이제 싸나운(사나운) 우리 엄매가
그걸 보겠소? 못 보지. 긍께로 인제 요리(이곳으로) 보내 붓어
(보냈어).

□ 부산에 있을 때 좀 몸이 약체였나요?

예. 째깐해요. 키도 째깐하고.

□ 몸이 약하고 그러니까 친구들이 거칠게 놀다가 팔이 그렇
게 돼버리고 그랬나 보네요.

그것이 약해요. 쬐깐해서. 여기서 초등학교를 일곱 살에
갔는디 뭐 그때는 유치원이 어디가 있어요.

□ 네. 없죠.

시내에서 하는 유치원이 있을까. 그래 갖고 그냥 일곱

살 먹어서 즈그 삼촌들 따라서 (초등학교에) 갔단 말이요. 삼촌들이 학교를 다니니까. 그러더만 암도(아무도) 못 가게 헌디 일곱 살 먹어서 키가 째간해요. 가방도 안 사 주고 아무것도 안 준께, 연필 하나하고 공책 하나 들고 이제 따라 댕기는 거예요. 그러더만 한 달을 댕겨도 안 돼. 못 가게 해도, 내비놨더 붓어요(내버려 뒀어요). '지가 지치불면 안 가겠지' 허고. 그러는데 학교에서 선생님이 "아가, 가서 일 년만 엄마 젖 더 먹고 오니라잉" 그랬는디도 기어코 따라 댕긴단 말이오. 깡다구가 있어요. 뭘 헐라면 꼭 허고 말아요. 긍께 안 되니까 즈그 여수 셋째 작은아버지가 군대 갔다가 제대해 와갖고는 "안 되겠소 형수, 나가 가서 입학시켜 놓고 올라요" 그래서 "가서 허시오" 그랬죠.

□ 그런데 공부를 잘했죠?

공부는 했어요. 그대로. 그래 갖고 3학년 땐가 웅변 나가 갖고 저쪽에 가이내 하나하고 여기 우리 아들하고 둘이서 웅변 대회에서 1. 2등으로 둘이 다 해서 왔더라고요.

□ 아, 그때부터 좀 사람들 앞에서 서서 뭘 하는 것이 조금….

예. (남 앞에서) 말하는 거를 좋아라고 해요.

□ 그런 게 있었군요. 할아버지 앞에서 엉뚱한 노래를 불러서 그렇지 그것도 그러고, 그러니까 남 앞에서 뭘 하는 걸 좋아했군요. 그런 끼가 있었네요.

그래 갖고 지금도 "내가 할아버지한테 그렇게 매 안 맞고 컸을 것인디 외할머니 때문에 그랬다"고 그래요.

□ 노래를 뭔 뜻인지도 모르고 어른들이 시켜놓으니까, 가르쳐놓으니까 그걸 그냥 불러가지고….

그래 불러갖고 그랬다고 여기서 맨날 들믹이요(들먹여요). "나가 여기 있었으면 더 공부를 더 잘했을 텐디 부산으로 보내고 보내 갖고 근다"고(그렇다고). 그래서 내가 "아이, 나가 보냈냐? 느그 아버지가 보냈지."

□ 부산에서 좀 힘들었는가 보네요.

예. 여기서 째간한 학교에서 하다가 대도시 가서 헐라고 헌께로 힘들죠. 그것들은 다 유치원 나오고 공부도 다…. 공부는 그래도 떨어지기는 안해도….

　□ 네, 그러셨군요. 중학교를 부산에서 다녔네요. 그리고 왔네요.

　중학교 2학년 다니다가 왔어요. 중학교 2학년 때 다시 이쪽으로 왔고 화양중학교로 갔어요. 왜냐 그면 ○○중학교 (를) 즈그 아버지가 안 보낼라고요.

　□ 그럼 화양중학교 나왔고, 화양중학교 좀 멀잖아요?

　멀어도 둘이 댕겼어요. 큰 집 작은 집 애기 둘이서.

　□ 걸어서요?

　예. 걸어서 가면 저그 가다가 버스 오면 타고 가고. 그때 아이들 많이 걸어 다녔어요. 저기 백초 애들, 보통 저기 우리 아이들은 뿔당으로 건너서 저기 가서 애들 만나서 전부 다 가고 그랬어요.

□ 그렇게 다녔군요. 그럼 고등학교는 어디 나왔어요?

고등학교는 여수 고등학교요.

□ 공부를 잘했는가 보네요. 그때 우리 여수고가 여기서는 최고로 알아주는 학교였다던데.

그랬죠. 그때만 해도 여수고를 알아줬죠.

□ 큰아드님은 여수고를 다니셨고 둘째 따님과 셋째 아드님은요?

둘째는 여양중학교, 여양고등학교 나왔어요. 작은 아들은 여양중학교, 여수공고 나왔고요.

□ 큰아드님은 여수고까지 졸업을 하고 그 다음에 이제 서울로 갔네요?

예. 서울시립대를 갔어요. 대학원은 한양대.

□ 그러니까 큰아드님이 고등학교까지 여수에서 생활했네

요?

예. 긍게 다 몰라요. 우리 큰아들이 여수에 있었다는 걸 다 잘 몰라. 원석이만 알지. 진짜 어렸을 때부터 이리저리 보내고.

□ 아, 여수에 머물러 있었던 때가 그렇게 길지 않으니까 그러겠네요.

예. 그래서 처음에 구청장 된 때는 저 관기 저런 데 사람들이 "엄마, 그 집이 원석이 즈그 형이 있었다요?" 그러더래요. 우리 원석이 선배들이 다 그러더라는 거예요. 그러면 "그 집 아들, 큰아들이 있다"고 하죠. 그럼 "나는 원석이가 큰아들인 줄 알았소" 그러더래요.

노름꾼 시아버지, 남편과 시동생들의 반면교사

□ 자녀들 키우시면서 혹시 정말 잊을 수 없는 그런 사건은 없으세요? 자녀들이 어디서 어려운 일을 당했다든가 그런

거….

그런 건 없어요. 즈그 아부지가 어찌 엄중헌께. 애들한테
도 그렇게 엄허게.

□ 아니 근데 그렇게 가정형편이 어려운데도 세 자녀 다
교육을 다 시키셨네요? 그 어려운 중에도.

할아버지 돌아가시고는 이제 우리 애기 아버지가 돈을
책임을 하지 않아요?

□ 아, 노름을 하시는 분이 없으니.

그 노름 땜(때문)에 지금도 그 시절 우리 아버님 이제 돌아
가셨지만 아범허고 저 서울 둘째하고 저기 여수 셋째 하고
넷째하고는 지금도 쳐다노 안 봐요. 사기들이 어떻게 애로운
(어려운) 세상을 살아 놓은께.

□ 그 노름 때문에요?

예. 노름했지, 작은 각시 얻어갖고 돌아 댕겼지. 아이고
말도 못해요. 나도 (시집) 와갖고 작은 마누라 할멈을 데리고

와서 여기서 한 방에서 잠자고, 한상에 밥 먹고 밥 차려주고 그런 세상을 나 같은 세상 살아라고 허면 다….

□ 그랬군요. 그래서 (할아버지가) 큰 아드님 돌아볼 겨를이 없었는가 보네요.

예. 노름에 그런 거에 그렇게 빠져갖고 다녀놓은께.

□ 그러면 그 할아버님이 몇 세 때 돌아가셔요?

우리 막내가 다섯 살에 돌아 가셨으니께, 다섯 살 차 남시롱.

□ 비교적 일찍 돌아가셨네요?

경운기 사고로. 작은 넷째아들이 저 관기서 미료 가마니 싣고 오는데 여기 조금 내려오다가, 교회 밑에 내려오다가 사고가 났죠. 그때는 순천 뭔 병원이 제일 컸는디 그 병원까지 갔더니 "데꼬 가라"고 하더라요. 그것도 넘(남)이. 우리 아점은 공사판에 일 가불고 한 닢이라도 벌어갖고 애들 가르칠라고. 일 가 버렸는디 그런 사고가….

163 지정자 님

□ 그때 그 할아버지는 연세가 대략 몇 세 정도였나요?

60세에 돌아가셨어요.

□ 당시에 이 동네에 몇 채나 살았어요?

상당히 많았죠. 한 여나무(열 집 남짓) 집 살았나 보네요. 열 집은 더 살았어요.

□ 동네 사람들은 서로 좀 사이좋게 지냈습니까?

암요. 잘 지냈죠.

내 친구들 이야기? 친구 없이 살아온 이야기

□ 그러면 어르신님은 동네에서 누구하고 가장 친하게 지내셨어요?

친하게 지낸 사람도 없어요. 또래가 없인께.

□ 또래가 없어요?

예. 아가씨들 있다가 우리 또래 아가씨들 있다가 다 결혼해불고. 결혼해 나가분께 누가 있어요. 마을에.

□ 조금 외로우셨겠네요? 그래 마음 터놓고 이야기할 사람도 없고.

예.

□ 그래서 자꾸 그냥 어디로 가버릴까 그런 생각을 하셨던 것 같네요. 친구라도 있으면 좋은데.

힘든께로. 살기가 힘들어서.

□ 그래도 누구 가까운 사람, 마음 터놓고 이야기 나누고 그러면 위로라도 되잖아요.

신랑도 아버님이 노름만 헌께 대체나 뭔 관심이 있것소.

맨날 돈은 벌어다 놓으면…. 옛날에 목화를요, 우리 집서 목화 공장이 있었어요. 목화를 저 아점이 가서 사갖고 와서 인자 앗아갖고 이렇게 둥치를 해갖고 신태인 같은 데로 보내요. 정읍 그런 데로 보내놓으면 이제 시아버지가 가서 팔아요. 가서 팔고 돈을, 그때는 현금이잖아요? 전대라고 있어요. 이렇게 허리에 띠는 거. 거기에다 차고 딱 묶어갖고 오다가 노름 다해불고 빈손으로 와요. 빈손으로 오면 목화는 또 가지러 오라글죠. "언능(얼른) 와서 따났응께 가져가라"고. 갈 돈이 없어요. 그렇게 맨날 싸운 거예요. 그런 걸 보고 사니 어떻게 살 것소.

□ 그러네요.

나는 우리 집에서 식구는 6남매에 우리 어머니 아버지 여덟이 살다가 우리 아버지 말 한 자리 안 하지 나만 거석(예뻐)허지. 울 임마는 나가 잘못 허면 악을 쓰고 뭐라 그러지만 그렇게 조용히 살다가 (여기 오니까) 진짜 못 살겠대요. 그냥 싸우고 막 그런께.

□ 정옥자 어르신이 좀 많이 다독여주고 그러지 않았어요?

자기 살기가 힘든데….

□ 그렇군요. 참 진짜 어려운 세상 사셨네요. 그래도 그 할아버님이 막내 아들 다섯 살 때 돌아가셨으면, 시집 온 지 10년 정도 만에 그 할아버님이 돌아가신 건가요?

우리 할아버지가 원석이 두 살 먹어서 돌아가셨을 거야. 그 다음에 삼 년, 사 년 후엔가 하여튼 시아버지가 돌아가셨어요. 그래 갖고 할아버지가 삼년상을 3년 내내 밥을 차렸어요. 영우(영정)를 모셔놓고 밥을 갖다 차려놓고.

□ 그 시절에도 삼년상을 지켰군요.

예. 그랬는데 우리 시아버지가 딱 그거 끝난께, 3년 끝난께 뭐라고 허나면 그때는 부엌을 정지라고 그랬어요. "정지아가 고생했다. 삼 년 동안 밥 채려 대느라고" 그 소리 한 자리 들어봤어요. 그러고 딴 사람 보고는 그러더래요. "참 미누리(며느리)가 들어와도 우리 큰 미누리 같은 사람만 들어오면 좋겠네" 그래서 "그래 참 얌전하죠" 그런 께로 "끄니마다 딴 반찬(끼니마다 다른 반찬) 해서 올리고 그 반찬 도로 안 넣고 그것이 한 가지 고맙고 참 대문 디가 있다(됨됨이가 있다)"고.

큰아들 자랑 한 마디! 아니 여러 마디!

□ 밖에 나가서 그래도 그 자랑하고 다녔네요? 그 다음에는 아드님도 공부도 잘하고 또 자녀들도 잘 자라고 그러니까 마음이 좀 그래도 여기서 정 붙이고 사실만 하셨겠어요.

암요. 둘이서 하여튼 무조건 노가다(막일)고 뭐고 막 둘이서 뛰었어요.

□ "우리 자녀들 잘 키워야 된다" 해갖고 그러셨군요.

예. 그래 갖고둘이서 옛날에 지금 저기 터미널 건너편에 부영 5층 아파트 있잖아요? 거기서 엄청 일했어요. 나도, 우리 애기 아버지도. 그래 갖고하여튼 입주청소는 나가 맡아갖고 허고. 그래 갖고애들 가르친 거죠. 그래도 우리 아들이 공부를 잘해갖고 그렇게 힘든 줄은 모르고 키웠어요. 우리가 살라 헌께 힘이 들지.

□ 자녀들이 부모님 말 안 듣고 엉뚱한 짓거리 하고 뭐 이런 건 없네요? 말썽 피우고 그런 건.

예. 없었어요. 말썽 피우는 건 없었어요. 그런데 우리가 노가다해서 돈 벌어가고 우리 아들 여수고 댕길 때 옛날에 신발 타이거즈라고 있어요. 그 신발이 팔만 원인가 얼만가 허는디 하나 사주라 해서 그걸 사라고 돈을 줬는데 오늘 (사서) 신고 가서 내일 잃어버렸던 말이오.

□ 신발을 잃어버려요? 비싼 신발이라 누가 가져가버렸군요.

그때는 이제 메이커 한 번 이제 사준다고 사줬는데 잃어버리고는 뭔 운동화를 신고 왔더라고요. 그래서 왜 그런 걸 신고 왔냐고 했더니 "(누가) 돌라가 버렸어. 나 기연히(기어코) 찾을 거예요" 그러더라고요. 그러더만 이제 신발 벗어놓는 데를 쫙 돌았다요. 그러니까 딱 저쪽 반 끝트리(끝) 반에 그 신발이 있더라요. 그래 갖고찾아서 신고 왔더라고요. 그거 한 번 잊어분 거 봤어요. 그러지 뭐 너무 거석을 하고 그런 거 없어요.

□ 그렇군요.

이 동네 저 작은 집이 아들하고 우리 아들하고 둘이 공고 다닐 때 동네 어머니날에는 둘이서 동네 할매들 꽃 다 사다가 꽂아주고 다니고 그랬어요.

□ 그런 것도 잘하였군요. 그러니까 학교에서 또 반장이나 뭐 이런 것도 했을 것 같은데요.

그런 건 안했어요. 그냥 조용히 다녔어요.

□ 서울로 진학을 한다고 할 때 어땠어요? "그래 가라" 그랬나요?

암요. 즈그 아버지는 참 좋아했죠.

□ 시립대 간다고 그러니까요? 거기가 납부금도 싸잖아요.

장학금 받고 가놓은께요.

□ 거기서 장학금 받았군요.

그래 놓은께 돈도 안 들고 또 즈그 작은 엄마 집에서 2년 차 댕기다가 나왔어요. 왜 그랬냐 허면 그때 한양대에서 데모 했잖아요. 옛날에 아실랑가 몰라도. 그래 갖고 그 데모에 갔다고 즈그 작은 집에서 쫓아냈어요.

□ 그러면 대학 다닐 때 시위를 좀 했네요?

그때 그거(운동권?)였지.

□ 아, 그래서 작은 집에 있다가 쫓겨났군요. '혹시 애가 이런 거 하면 우리 집까지 피해당할 수도 있다' 이런 생각이었나 보군요.

그래 갖고나가 농사 지어갖고 쌀이 그때는 짚가마니였어요. 근데 그 가마니로 80킬로짜리를 여섯 개씩, 네 개씩 그렇게 붙여주다가 인제 여섯 개를 갖고 올라갔는데 나가 노가다해서 이제 돈 벌어갖고, 쥐포가 그때는 싸요. 쥐포를 대여섯 개 사서 한 보따리를 싸갖고 갔는데 그거 하나도 안 구워주고 우리 아들 안 먹이고….

□ 어머님인 어르신님도 걱정이 많이 됐었는데요. 아드님이 자꾸 데모를 하고 작은 집에서 쫓겨나고 그랬으니.

그래 갖고어디 가서 잽혔냐(잡혔냐)면 부산 가서 잽혔어요. 부산으로 피해서 내려갔는데 잡혔어요. 잡혀가고 저기 부산 구치소에서. 그래 갖고 맨날 울고 댕겼어요. 나가.

□ 구치소에서 얼마나 살았어요?

한 몇 개월 살았어요.

□ 구치소에서 몇 개월, 그런 적도 있었군요.

동네 사람 다 몰라요.

□ 그렇죠. 모르겠죠. 근데 그게 사실은 '민주화운동'이고 아주 자랑할 만한 일이잖아요? 정말 나라를 바로잡으려고 젊은 대학생들이, 그래도 정의감이 아주 투철한 거니까 그렇게 하죠.

그때는 사람들이 다 촌사람들이 그러잖아요. 허라는 공부는 안 하고 데모허고 댕긴다고.

□ 모르니까요.

모른께. 근데 지는 인자 그렇게 누구냐면 임종석 씨 알아
요? 임종석 씨하고.

□ 그 시절 임종석 씨와 같이 했군요. 그때 인연이 있네요?
그래서 그 비서관으로?

그때부터 이제 같이 있는 거예요. 다 보면 선후밴께.

□ 그때 그렇게 가깝게 지냈군요. 그래서 대학 졸업하고 군
대 갔다 오고 대학원 하고, 대학원은 좀 늦게 했는가요?

늦게 했죠.

□ 대학원은 늦게 하고 그렇게 임종석 씨하고 그때 인연이
돼서 나중에 임종석 씨가 정치할 때 정치할 때 보좌관입니까?
보좌관으로 이제 정치에 입문한 거로군요.

예.

□ 보좌관 하다가 성동구청장 출마했고요?

아니요. 그거 하다가 이제 다 이선인가 삼선인가 임종석이 다 시켰잖아요. 그랬는데 또 우리 아들이 딴 직장을 가려고 했는디 또 "지금 저 홍익표, 그 사람 국회의원을 당선을 시켜라. 니가 어디 딴 데 갈 것 아니라" 그래 갖고 선거 해갖고 당선을 (시켜서) 또 일선을 했잖아요. 그래갖고는 이제 우리 아들이 놉는 데는 다 해요. (낙선) 돼요. 그러니까 이세 아들에게 그걸(구청장을) 시키라 그래 갖고 했는데, 지(자기)가 이제 다른 데도 못 가고 근께 구청장도, 구청장 선거가 있어 놓은께.

먼 데서 구청장 하는 큰아들,

가까운 데 사는 작은아들과 딸

☐ 본래 아드님의 꿈은 뭐였어요?

원래 꿈은 평상 나가 심장병으로 아픈 께 "나 엄마 의대가 갖고 의사 해갖고 엄마 병 낫아 줄께" 맨날 어릴 때 꿈이 그더라고요. 그러면 학교로 갈 때가 된 께 정작 그거는 안 가고….

□ 그러니까 정치할 줄은 생각도 못했는데 그랬군요. 근데 아드님이 아무튼 그렇게 민주화운동도 참여하고 나중에 정치 입문해서 지금 3선을 하게 됐지 않습니까? 그런 모습 보시면서 그래도 좀 많이 자랑스럽고 뿌듯하시겠어요.

그렇죠. 아이고 나가 이런 세상 살려고…. (집 나갈려고) 마음먹을 때 나가 부렀으면 나가 이런 세상 안 살 거 아니여, 그런 생각도 들지요.

□ 그때 참았으니까 망정이지.

그런께로 우리 딸이 뭐라 그런지 아요? "더 좋은 데로 갈지 더 나쁜 세상을 살지 어떻게 알아? 지금 호강 받고 살면서 무슨 소리를 하고 있어?" 지금 그때 생각하면 호강 받고 살지.

□ 이제 성동구청장 3선을 하니까 아주 실력이 인정이 돼서 민주당 쪽 사람 하는 사람들뿐만 아니라 국힘당 지지하는 사람들까지도 이렇게 좋아하더라고요. 사람들을 민원을 너무 잘 해결해 주는 것 같아요.

그런 것 같아요.

□ 어렸을 때부터 뭔가 좀 그렇게 세심하게 하는 게 있었나요?

모르겠어요. 나 키우기가 힘들어 놓은 께. 뭘 세심허게 하는지 어쩐지도 모르고 그냥 니 공부만 잘하면 된다, 공부만 잘하면 우리가 돈은 벌어갖고 어쨌든 간에 느그들 가르치기만 하면 된다.

□ 원래 의사를 꿈꿨었고….

예. 의대 간다고 의대 간다고 해갖고 그러더만. 그래 나가 지금 우리 지금 원석이 아들 큰아들 화양고 갔거든요. 이번에 화양고 갔는디 약대 간다고 공부하더라고요, 약대. 약사 된다고. 약사 한다고. 그래서 나가 "야, 저기 니 마음먹기 하고 나중에 틀리다"고 한께 "왜요?" 그래. "느그 큰아빠가 이러고 저러고 허더마는 그러더라" 그런 게로 "나는 안 그래요. 앞으로 10년만 딱 더 사세요, 나가 약이랑 뭐랑 다 해줄 게요."

□ 작은 아드님은 할아버지한테 예쁨을 받았고 따님은 어떻게 키우셨어요? 뭐 기억나시는 거 없으세요?

지가 대학 가랑께 안 가고 구미로 갑디다. 산업체로. 그래 갖고는 즈그 아버지가 아프니까 와버렸지.

□ 구미에서 좀 일 하다가 돌아왔군요. 그럼 지금은 지금 어디서 살아요?

시집가서 순천 살아요.

□ 가까운 데 계시네요?

내가 딸 하난께 먼 데서 좋은 데서 중매가 왔샀는디 나가 안 해. 같이 옆에 영감 삼아 딸 삼아 그리 산다고 나가. 영감도 없는디 딸 하나 있는 거 먼디로 보내면 나가 어찌 살 거냐 그리고 가까운 데 여운다고 그렇게.

□ 정말 따님하고 작은 아드님이 곁에 있으니까 얼마나 좋습니까?

그러게요.

177   지정자 님

□ 사실 연로하시면 이제 적적하잖아요. 자주 자녀들이 찾아보고 이렇게 연락하고 그거밖에 없잖아요.

암요.

□ 부군(夫君, 남편)께서는 언제 돌아가셨나요? 지병이 있으셨나요?

먼저 가신지 올해 18년이네요. 붕어회 같은 걸 즐겨 자셨는데 디스토마로 돌아가셨어요.

□ 이렇게 이 동네에서 사시면서 자녀들 키우시고 농사하고 힘들게 가정 돌보고 사셨습니다. 근데 여기서 지내시면서 기억나는 어떤 사건이나 이런 건 없으세요?

예.

□ 그냥 동네가 평온했습니까?

그렇죠.

□ 어르신은 종교가 불교인 것 같던데 언제부터 불자 생활을 시작하셨나요?

우리 아들 고등학교 다닐 때 우연히 않게 누가 그 거를 잘 한다고 그래서 가봤어요. 갔더니 "우리 영감하고 나하고는 둘이는 평생을 업이 많아갖고 업을 쥐고 산께 누가 오면 뭐 한 대박이라도 줘서 보내야지 그냥 보내면 안 된다. 자식들이 성공을 못한다" 그러더라고요. 그래서 그 앞전부터 이따금씩 보따리 장사들이 오면 밥 믹이서(먹여서) 잠재워서 좁은 데서 그리고 또 우리 집이 커 놓은게 장사들이 부자인 줄 알고 꼭 밥 먹으라고 앉었단 말이오. 그러면 이제 나 밥 둘이 그거 노나(나눠) 먹고 인자 그리고 잠 재워서 또 어쩔 때는 잠은 딴 데 가서 잔다고 그리고 밥은 이제 꼭 뭔 거지가 와도 우리 집에 와서 먹을라고 그러지. 집만 크게 하면 그래갖고.

□ 집이 컸군요. 아무래도 식구가 많았으니까?

그래 갖고인자 그리고 잤는디, 그 가마니 세 바퀴만 다녀가도 성냥 한 봉 값은 다 뜯어간다고 그러더라고요. 그래서 이제 그 길로 불교로 댕긴 것이 자식들이 성공을 한다고 그래서. 이제 우리 시어머니는요, 애들 생일이 어찌 생긴 지도 모르게 생일도 그냥 넘어가 버리더라고요. 미역국도 안 끓여놓고. 그래서 이래서는 안 되겠다 싶어갖고 제가 우리 아들 성공하도

록까지 했죠.

못다한 이야기

□ 아, 그러셨군요. 어르신님 이제 시집 와서 자녀들 낳아서 이렇게 키우시고, 사신 이야기를 쭉 이야기를 들었는데 아직 못 다한 이야기가 너무 많죠. 사실 이거 몇 마디로 다 되겠습니까?

그래요.

□ 그래도 또 마지막으로 또 이야기하실 만한 딱 한 가지만 더 이야기 좀 해주시면 좋겠습니다.

그냥 평안하니 이렇게 살고, 우리 자식들 언제나 좀 같이 건강하게 살기를 바라고 우리 작은 아들도 좀 잘 됐으면 좋겠고, 큰 아들도 한 단계 더 올라가면 좋을 거 같고 그러죠. 딸도 잘 살았으면 좋겠고.

□ 아직 젊으니까.

　예. 젊은께로.

□ 그것이 마지막 소원이신가요?

　예.

큰 가사 마을

강장원 님(73세, 노인회장)

"작지만 확실한 행복을 누리기까지"

군산 장미동에서 보낸 어린 시절

□ 강 회장님은 어디서 태어나셨고 또 부모님은 어떠셨고 뭐 이런 생애 초반, 그 이야기를 좀 듣고 싶습니다. 몇 년생이세요?

제가 호적으로는 1950년생입니다. 하지만 6.25가 나던 그 해에 태어난 게 아니고 그 이듬해 1월인가 그렇게 태어났습니다. 말하자면 나이는 51년생이나 마찬가지죠.

□ 그러시군요. 전쟁 때 태어나셨네요. 고향은 어디세요?

전북 군산입니다. 저희 어머니는 비교적 공부도 좀 많이 하시고 그런 환경에서 학구열이 좀 높았어요. '자식들을 좀 잘 가르쳐야 되겠다' 하는 그 생각 때문에 최대한으로 가르치려고 했습니다. 하지만 저는 공부를 좀 못 하는 측에 들어갔었어요. 그래 가지고 대학교 가는 걸 좀 실패했어요.

□ 일단 어린 시절 이야기부터 여쭤보겠습니다. 전북 군산이라고 하는 곳이 일제강전기 때 군산항으로 유명했어요. 일본과 많은 배가 오가고 쌀 같은 거 엄청 그쪽으로 실어가고 그랬던 곳이지 않습니까? 일본 건물들이 아직도 많이 남아있지요. 군산이란 도시에서 태어나셨고 전쟁시기였는데 군산 어디에서 어린 시절을 보내셨나요?

제가 어린 시절에 한 20년 이상을 살았던 곳은 군산 부둣가 장미동입니다. 장미동이라는 것을 한자를 풀이하면 감출 장(藏)자에다가 쌀 미(米)자, 일정 때에 그 김제 만경평야 옥구 평야에서 쌀을 전부 가져다가 일본으로 그냥 수탈해 가는, 쌀을 저장해놨던 데가 장미동이에요. 저는 거기 바로 부두 앞에서 실있습니다.

□ 그러면 부모님 때부터 쭉 거기서요?

네, 그러니까 초등학교 5학년 때부터 고등학교 졸업하고 제가 사회생활 할 때까지도 거기서 한 이십 년을 거기서 산 것이죠. 그래서 아까 말씀하셨던 일정 때 쌀을 수탈해갔던 자리가 바로 거기 그 자리예요. 그 장미동하면 이제 바로 그 일정시대에 그 부근에 아까 말씀하셨던 일정 때 지었던 관공서라든가 아니면 금융건물이라든가 이런 것이 많이 있습니다.

□ 군산하면 그게 다 머리에 그냥 딱 떠오르시겠네요?

그럼요, 다 떠오르죠.

'징용후유증' 겪는 아버지, '열혈가장' 어머니

□ 그러면 부모님은 무슨 일을 하고 사셨는가요?

저희 어머님이 지금으로 말하면 전주여고를 다니시다가 군산여고로 전학해가지고 학교는 군산여고로 나왔어요. 어머니가 나름대로 그때 당시에는 공부를 하셨어요. 어머니가 상당히 좀 머리가 트이신 분이에요. 저희 아버지하고 만나 저를 낳으셨는데 어린 시절부터 바로 저희 외할아버지하고 같이 옆집에 사셨지요. 외할아버지 댁이 좀 부유한 편이셨습니다. 크게 부유하지는 않지만 어려움 없이 크셨어요. 그래서 제가

50년생인데 유치원을 다녔습니다.

□ 그 시절에 유치원을 다니셨다니 어렸을 땐 유복하게 생활하신 편이네요?

유치원이 있었거든요. 아버님은 징용을 가셔 가지고 거기에서 많이 고생하다 오셨습니다. 그 뒤 아버님이 일정한 수입이 없이 그냥 집에만 계셨고 어머니가 별걸 다 했었어요.

□ 어머니가 주로 그러니까 가장으로서 역할을 하셨군요.

생활을 어머니가 다 책임지셨다 해도 과언이 아니죠. 아버님은 징용 갔다가 너무 후유증 그런 것 때문에 자신에 대한 그런 것이 좀 있었고 아버님이 참 잘생기셨더라고요, 아주 잘생기셨어요. 그래서 저희가 항상 어머님 아버지 인물 보고 완전 반하셨죠. 근데 아버님이 굉장히 착하셨어요. 그래도 경제활동을 못하시니까 어머니가 모든 경제활동을 하고 자녀들을 키우셨지요. 삼남 일녀거든요. 위로 누나 한 분 있습니다. 누나가 지금 73세입니다. 그 누나도 군산여고를 나왔고 둘이만 고등학교를 졸업하고 그 아래 동생부터는 다 대학을 졸업시킬 만큼 엄마가 열심히 하셨죠.

□ 그럼 3남1녀 중에 몇 째이신가요?

장남입니다. 한 살 위로 누나가 계시고. 그 6.25 때 저는 어머니 뱃속에 있었고 누나는 젖먹이었습니다. 그래가지고 피난을 가야 할 상황이 돼서 외할아버지가 "피난 가자!" 했었는데 저는 뱃속에 있고 젖먹이 아이가 이렇게 있으니까 "아버지, 나 피난 못 가겠어요" 하고 거기에 그냥 눌러앉아버린 거예요. 그러니까 누나가 젖을 제대로 못 먹었죠. 어려서부터 그러니까 조금 약하다고 할까 그런 게 있었어요.

□ 아까 이제 듣자 하니까 외할아버지도 그때 바로 옆집에 사셨고 그러면 이제 친족관계는 어떻게 되세요? 친척들이 주로 군산에 다 모여서 사시는 건가요?

군산 쪽에 다 모여서 살기도 했었고 일부는 이모님 한 분이 전주에 살고 계셨습니다. 딸 다섯 중에 우리 어머님이 장녀이셨습니다. 이모님들이 다 사범대학을 나왔고 다 교편생활을 하셨어요. 그러니까 결혼해서 다 전주나 서울 같은 외지로 나가셨고요, 그렇게들 사시다가 정년퇴직하고 돌아가신 분도 두 분이나 계십니다.

□ 지금 부모님은 다 돌아가셨지 않습니까? 언제쯤 돌아가셨나요?

어머니가 저희 어머니가 회갑 그 이듬해 돌아가셨죠. 병에 걸렸어요. 뇌졸중으로 쓰러지셨지요. 아버지는 저희가 여기로 이사 왔을 때인 1993년도에 먼저 돌아가셨습니다. 저희가 여기 가사리로 오기 전에 선원동에 살았는데, 그때 거기서 제가 아버지를 모셨어요. 어머니는 여기서 계속 사시다가 비교적 최근인 2015년도에 뇌졸중으로 돌아가셨습니다. 저희가한 25년간 어머니를 모셨죠.

□ 그러셨군요. 어머님이 그 시대에 보기 드문 엘리트 여성이십니다. 그 시절에는 고등학교만 졸업하고 교사 하시는 분들도 많았던 걸로 압니다. 근데 가장으로서 가족생계를 책임져야 될 입장이다 보니 여러 가지 고생을 많이 하셨을 것 같은데 무슨 일을 주로 하셨는가요?

어머니가 그때 저희들이 아까 얘기했던 장미동이라는 데서, 장미동 거기 가 보면 외양선원이 이렇게 들어오면 거기서 구멍가게도 하고 그랬어요. 거기에 우마차 같은 것이나 차들, 부두 노동자들이 많으니까 거기에서도 지금으로 말하자면 잡화가게를 하셨지요. 그러고 나중에 보험회사를 다니셨습니다. 어머니가 하여튼 여러 가지 많이 하셨어요.

□ 집은 생각나세요? 어렸을 때 근 20년을 거기 한 군데 사셨잖아요. 집은 어떤 구조로 돼 있었나요?

아, 우리 장미동이요? 지금은 그 자리를 싹 헐어가지고 농협 공판장 같은 걸로 변한 거 같더라고요. 저희 집 구조는 단층인데 집이 그냥 지붕 하나로 몇 세대가 같이 붙어살았어요. 그냥 쭉 붙어서 한 네 세대인가 그렇게 붙어서 살았었어요.

전쟁세대, 그러나 교회 부설 유치원 다니며

□ 선생님은 전쟁세대이시지 않습니까? 전쟁 직후라 유년기에 당장 먹고 살기조차 급급한 시대입니다. 학교 못 다니는 사람들이 아주 태반이고요. 그런데 유치원까지 다니셨어요. 유치원 다닌 이야기 좀 해보시지요. 유치원 다니며 찍은 사진도 있으신가요?

그 이야기는 특별한 건 없고요, 우리 유치원 교사 선생님이 상당히 그때 얼굴도 예뻤었어요. 그 얼굴 예뻤었던 것이 왜 지금도 기억이 나는지 몰라요. 그 어린 나이에도 유치 선생님 얼굴이 예뻐서 상당히 인상적이었고 유치원 자체가 교회 부속 유치원이었어요.

□ 어디 교회인가요?

중동교회라고 지금으로 말하면 거기 부두하고 가까운 데 예요. 금암동과 중동 이렇게 동이 있었는데, 중동이라는 데에 있었어요. 그 교회 부속 유치원이었지요.

□ 그 교회는 지금 사라져버렸습니까?

지금은 그 자리가 아마 없어졌을 겁니다. 지금 그 자리가 워낙 많이 변해가지고 거기가 지금은 이제 없어졌을 거예요. 거기에서 중앙국민학교 2학년까지 다니다가 아까 말했던 그 장미동 거기로 이사를 해서 군산초등학교를 다녔습니다. 그 당시 중앙초등학교 다음으로 군산에서 컸던 군산초등학교가 지금은 도심화 공동화 현상 때문에 폐교가 돼 버렸어요. 참 그것도 좀 아련한 추억인데…. 거기가 군산시청 바로 옆에 군산초등학교가 있었어요. 그러니까 상당히 최고의 번화한 거리라고 해도 과언이 아니잖아요. 근데 그 큰 학교가 학생들이 없으니까 폐교가 돼버리더라고요.

□ 그럼 동생분들도 유치원을 다녔나요?

동생들은 유치원을 못 다녔죠. 저는 장남이라고 특혜를 좀 받은 거예요.

□ 그때 학생이 전교생이 몇 명이나 됐었나요?

당시에 초등학교 학생 전체가 한 2천 명 이상이 됐을 거예요. 그렇게 큰 학교가 다 폐교가 됐어요. 그러니까 말하자면은 주거 생활공간이 그 군산 그 복잡한 데를 벗어나가지고, 여수도 마찬가지인데 전부 외곽 지역으로 다 나가버리니까, 주거 생활공간과 상가들이 없어지니 그토록 컸던 학교도 폐교한 거지요.

□ 3남1녀 중에 장남이셨고, 형제의 관계는 좀 어떠셨나요? 어렸을 때 사이좋게 잘 보내셨나요?

형제는 저 밑에 세 살 아래로 동생이 있었고 또 그 밑으로부터 세 살 막내동생이 있습니다. 그렇게 삼남이었고 위로는 한 살 위로 누나가 계십니다. 부모님의 위계질서를 굉장히 잘 잡으셨어요. 한 살 위 누나라면 대부분 남동생들이 이겨먹으려고 하는데 조금이라도 그런 게 있으면 엄청 혼났습니다. 그 래서 지금도 누나한테 지금도 엄청 깍듯이 대하는 편입니다. 집안 분위기는 자유분방한 편이었습니다. 하지만 나름대로 가 족관계에 있어서 누나에 대해선 어떤 존경심이라는 것보다도, 누나가 하나고 밑으로 남자들 다 보니까 누나에 대한 존엄성 그런 것이 조금 있었죠.

□ 지금 말씀 들어보니 어렸을 때 전북에서 상당히 번화한 그런 도시에서 자라셨어요. 사회적으로는 어려운 전쟁 시대였 지만 집안은 그렇게 어렵지 않았던 것 같습니다.

그렇죠, 맞습니다.

□ 어렸을 때 친구들과 무슨 놀이를 하셨나요?

그냥 평범했어요. 그 당시에 우리 집이 바로 부두 옆에 붙어있어요. 외양선박이 들어오면 근처에 철길이 있어요. 장 미동에 창고가 이렇게 쭉 하니 있어가지고 쌀을 거기다 쌓아놓 고서 그걸 선박에다가 싣곤 하였지요. 기찻길 레일로 쌀을 실 어오면 창고에다 이렇게 재놓고 그 쌀 선박에다가 싣고 일본으 로 가는 것이죠. 거기에 보면 놀 수 있는 넓은 공간이 많이 있어요. 거기서 공차기 같은 거, 자치기, 공놀이 같은 거 하면서 부둣가에서 놀았어요.

　□ 그때 함께 놀던 친구들 중에 생각나는 친구들이 있습니까?

　많죠. 저희들하고 같이 살았던 그 친구들이 이름을 댈 수도 있지만 지금 죽은 친구도 있고 지금은 어디 사는지 파악이 잘 안 돼요. 알려고 노력을 안 하니까. 지금까지 교류하는 친구는 없죠.

　□ 부모님을 모시고 와서 여기서 사셨기 때문에 고향에 가실 일이 그리 많지 않았겠군요.

　많지 않죠. 자주는 안 가는데 일 년에 그래도 두 번에서 세 번은 가요. 왜냐면 부모님을 다 고향에다 모셨어요. 아직 막내동생이 거기에 살고 있습니다. 왜 부모님을 군산에다 모셨느냐면, 저희가 부모님을 모시고 살 때 어느 날 부모님이 고향에를 다녀오신다고 가셨어요. 근데 고향 가셔갖고 아버님이 거기서 아파버렸어요. 폐렴이 와버렸지요. 그래서 군산에서 폐렴으로 돌아가셨습니다. 그러다 보니까 여기서 돌아가셨으면 여기 어디서 장사 지내고 모셨을 텐데 다행인지 고향에서 돌아가시다 보니까 고향 거기다 모셨어요. 어머님은 여기서 사시다 돌아가셨는데 아버님하고 같이 해야 되니까 아버님 옆 자리에 모셨어요. 그러니까 명절에도 가고 추도일 때도 가고 그렇게 1년에 군산에 두세 번은 다닙니다.

아버지의 징용후유증: 술

□ 아버님이 일제강점기 때 징용을 다녀오셨잖아요. 자원하여 가신 게 아니라 강제로 징용이 된 건데 어디서 일을 하셨는가요?

인도네시아의 수마트라라는 곳입니다. 거기에서 노역을 했다고 하더라고요. 일제로부터 그 노역에 대한 일정한 노임을 받기는 받았어요. 저희 아버지가 강제징용을 당하신 거지만, 그때 어떻게 해서 가게 됐는지는 모르겠는데 일정한 노임을 받기는 받았다고 하더라고요. 근데 노임을 저희 큰아버지한테 상당히 좀 보내줬는데 아버지가 돌아와서 보니까 그게 하나도 없었다고 그러더라고요. 큰아버지가 그 돈을 어떻게 했는지 모릅니다. 큰아버지에게 그걸 돌려받아야 되는데 큰아버지에게 돌려받은 게 하나도 없었어요. 어머니는 아버지를 만나셨을 때 맨주먹이었다고 그러시더라고요.

□ 요즘에 강제징용 당하신 분들 소송해서 노임을 받아내고 그러지 않습니까?

일정 부분 받았어요. 이것은 본인의 의사와는 상관없는 그런 것이 있다고 해가지고 정부로부터 한 십 년 전에 조금 받기는 받았어요. 그렇게 많지는 않고 몇 백 정도였습니다. 한 4백 정도였을 겁니다.

□ 그러셨군요. 어렸을 때 혹시 기억나시는 재미있는 이야기나 이런 건 없으세요? 부모님에게 들으신 이야기나 그런 것도 괜찮습니다.

제가 어렸을 때 저희 어머니가 아버지하고 다투셨습니다. 뭣 때문에 다퉜느냐면 아버지가 술을 좋아하셨어요. 아버지가 술을 한 번 하시면 조금만 드셔도 아버지는 그냥 확 쓰러져버려요. 그리고 나서 그렇게 한 번 술을 이렇게 드시기 시작하면은 며칠을 드셔요 한 3, 4일 동안 매일 계속 드셔요. 알콜중독이셨지요. 조금 끊었다가 또 드시면 3박 4일, 이러셨지요. 어머니가 그것 때문에 아버지에 대한 원망 같은 게 있으셨지요. 어머니가 모든 것을 가정 경제라든가 아이들 키우는 거라든가 해서 어머니가 모든 걸 다 해야 하니까 너무 팍팍하니까 힘드셨지요. 어머님이 저 어렸을 때 무슨 말씀을 하였느냐면 "너 아빠하고 너 아빠하고 결혼하기 전에, (군산에 가면은 제일극장이라는 데가 있어요.) 그 군산 제일극장 골목에서 너 아빠가 뽀뽀만 안 했어도 결혼 안했을 텐데 내가 그것 때문에 내가 할 수 없이 결혼을 했다"고 그 얘기를 하시더라고요. 어머니에게 그 얘기를 딱 한 번인가 들은 것 같은데 그게 머릿속에 각인이 됐어요.

□ 아버님께서 그렇게 이제 술을 드실 때 혹시 어린 마음이지만 그걸 싫어해서 그때 좀 힘들지 않으셨나요? 말하자면 어린 시절의 상처랄까 그런 게 있지 않으셨는지….

저도 아버지에 대한 원망 같은 것이 있었습니다. 누나하고 한 묶음이 돼가지고 누구보다도 심하게 아버지를 원망했지요. 그래서 누나는 어려서부터 군산을 떠나고 싶어 했어요. 항상 어떻게 하면 내가 군산을 떠날 것인가, 그런 생각을 했지요. 결국은 서울로 가서 직장생활하면서 서울에서 자리 잡았습니다. 그때 당시에 누나도 이제 나름대로 공부를 좀 한다고 해가지고 이대 이제 불문과 입학시험을 봐가지고 떨어졌습니다. 누나는 바로 포기를 하더라고요. 그래서 서울에서 직장생활 하다가 현재 매형을 만나 살고 계십니다. 그래서 형제들 중에는 누구보다도 누나가 아버지 술 드시는 것을 굉장히 싫어하셨어요. 지금이야 추억이 돼버렸지만 그땐 어머니와 누나가 아버지 술 드시는 걸 무척 힘들어했습니다.

□ 아까 아버님이 한 번 술을 드시기 시작하면 며칠씩 드셨다고 그랬지 않습니까? 근데 그게 언제쯤이나 중단이 됐나요?

한 60세가 좀 넘으셨을 때쯤입니다. 글쎄 정확한 건 모르겠는데 아마 그랬던 것 같아요. 거의 회갑 지나서 이후부터는 조금씩 줄이셨고 연세가 들어가니까, 제가 아버님 회갑 되기 전에 결혼을 했었는데 하여튼 그때까지도 많이 드셨습니다. 하지만 더 연세를 드시면서 술 드시는 게 줄어든 거 같아요.

□ 그런데 술 드시고 술주정도 하시고 그러셨나요?

술주정을 할 새가 없어요. 아버지가 술에 약하기 때문에 어느 정도 취하시면 바로 그냥 쓰러져 주무셨습니다. 우리가 금암동 살았을 때 그 동네 사람들이 우리 아버지를 손수레에다가 싣고 와가지고 '아버지 오늘 또 술 드셨다'고 하면서 아버지를 모시고 와서 집에다가 내려드렸던 일이 지금도 기억이 나요. 하지만 아버지가 술 드시면 누구한테 가서 행패를 부리고 그러는 것은 없었어요.

□ 아버님 성품이 그냥 술로 본인만 괴롭히는 그런 분이셨나

보군요.

아버지가 술을 과하게 드셔서 그렇지 인품이 참 좋으셔
요.

□ 근데 왜 그리 술을 많이 드셨을까요? 일성 시대 징용
트라우마가 상당하셨던 거 같습니다. 당시 인도네시아 수마트
라까지 가서 정말 힘들게 일해서 번 돈을 큰아버님이 다 없애
버리고 그런 거에 대한 원망도 계셨던 거 같고….

그런 것들이 이 마음속에는 있었는지도 모르죠.

아버지의 징용시절: 커피

□ 징용 가신 분들은 거의 죽기 살기로 일을 하고 그랬던
상황이지 않습니까? 너무 힘드니까 정말 고향에 돌아갈 수
있으리라는 희망을 가질 수가 없는 상황이라서 징용 갔다가
돌아가신 분들이 많기에 살아오신 것만 해도 천만다행이라

생각할 정도인데요.

아버님이 가끔씩 하시는 말씀이 커피를 엄청 좋아하셨어요. 그래서 그 징용에서 유일한 낙이 커피 한 잔 마시는 시간이었대요. 그래 가지고 커피를 그리 좋아하시더라고요 돌아가실 때까지도. 인도네시아 수마트라 섬 그런 데에는 커피가 있으니까.

□ 혹시 그 시절 아버님이 징용 당시에 찍은 사진이 있으신가요?

전에 있었어요. 그래가지고 증빙으로 내고 그랬지요. 군복 입고 찍은 사진, 그거는 있을 거예요. 그 사진을 군산에서 보상신청하면서 증빙을 위해서 막내 동생에게 보냈는데 아마 지금 군산에 있지 않은가 싶은 생각이 드는데 거기서 잘 보관하고 있는지 모르겠어요.

□ 어머님이 주로 경제활동을 하셨고, 교육도 많이 받으셨기 때문에 "어떻게 해라, 어떻게 해야 된다" 이런 가정교육은 주로 어머님한테 받으셨나요?

가정교육은 어머니도 하셨지만 아버지도 마찬가지로 교

육열이 높으셨어요. 자식들은 내가 잘 가르쳐야 되겠다. 그런 마음은 항상 있었어요. 두 분이 다 그러셨습니다. 저는 고등학교를 졸업하고 대학교 가려고 시험을 봤다가 두어 번 실패를 하는 바람에 진학을 못했습니다.

근데 아버지가 기술 배우러 가자며 저를 강제로 끌고 가다시피 해서 서울로 가서 중장비 학원에 저를 보냈이요. 아버지가 거의 저 손을 끌고 가다시피 해가지고 중장비 학원을 다니게 하셨지요. 나는 그때의 중장비보다는 지금으로 말하면 컴퓨터 EDPS라고 그래가지고 그때 당시에 컴퓨터 프로그램, EDPS 그거를 좀 배우고 싶었었는데 그거를 배울 겨를도 없이 아버지한테 끌려가 서울에 가서 중장비 학원을 다녔어요. 그것이 오늘의 저를 만들게 된 여천공단 여천공단까지 오게 된 아주 기폭제가 됐습니다. 여천공단 남해화학에서 이제 말하자면 중장비 운전도 하고 그런 일을 하다가 삼십 년 만에 퇴직을 했어요.

팝송을 좋아한 학생

□ 원래 어렸을 때 꿈이 뭐였나요? 뭐가 되고 싶으셨습니까?

큰 꿈은 없었어요. 사실은 그땐 내가 뭘 뭐가 돼야 되겠다,

하는 그런 건 없었어요. 고등학교 다닐 때도 제가 팝송을 좋아했었어요. 팝송 엘비스 프레슬리, 보랑카 카니, 프란시스 이런 옛날 흘러간 가수들 비틀즈, 이런 흘러간 가수들이 불렀던 그 팝송 이런 것을 부르기를 참 좋아했었어요. 그래서 '꼭 가수가 돼야 되겠다' 하는 그런 것보다는 그런 걸 참 내가 즐겨 했었어요.

□ 라디오로 들으셨어요?

라디오도 들었고 전축 같은 거 그런 걸로도 듣고 그랬지요. 그땐 상당히 즐겨 했었어요. 그래서 당시 크리프 리챠드가 서울대 이대 공연을 할 때 가서 보지는 않았지만 TV 영상으로 봤는데 지금도 크리프 리챠드 복장이 기억이 납니다. 허리는 째고 퍼지는 상의를 입고 아래는 그냥 펄렁펄렁한 바지를 입었지요. 노랑머리 파마해 가지고 이렇게 내리고요. 아 그때, 어쩌면 그렇게 그 당시에 그냥 그런 것에 뽕 가버렸는가 모르겠어요.

□ 듣자 하니 회장님의 성향은 인문학이나 예술 쪽으로 꽝장히 좋아하고 끌리셨던 거 같습니다. 그런데 아버지 손에 끌려서 성향과는 좀 달리 중장비 다루는 일을 하셨군요.

군산고등학교 인문계잖아요. 그래서 그랬을 겁니다. 물론 이제 대학교를 실패하는 바람에 그랬어요. 그때 대학교를 실패해가지고 그냥 직장에 들어가 버렸어요.

□ 회장님 청소년기인 중학교와 고등학교 시절은 어땠나요?

군산중학교와 군산고등학교를 다녔습니다. 학교 다닐 때는 '내가 어떻게 성장하면 뭐가 돼야 되겠다' 하는 그런 희망이나 마음가짐은 없었습니다. 고등학교를 다닐 무렵에야 그런 생각을 조금하기 시작하였지요. 군산고등학교가 지금은 인문계 고등학교인데 그때 당시에는 기술 종합고등학교였어요. 잠시 상과, 공과, 문과, 이과 이런 것이 다 있던 때였지요.

□ 그러면 회장님은 당시 문과이셨나요?

아니 문과는 아니고 이과였어요.

□ 그때 부모님은 아무튼 공대 쪽으로 생각을 갖고 계셨던 거 같군요.

그렇죠. 우리 아들이 이과를 가서 기술계통으로 취업하길

바라신 거죠. 그러니까 부모님 생각이 그냥 앞서가신 거 같습니다. 그 당시 부모님들은 학교를 보내는 것도 쉽지 않지만 과를 그렇게 정해서 하기라는 또 더 쉽지 않거든요. 어쨌든 간에 내 4형제가 그런 여건 속에서도, 대학을 합격만 하면 다닐 순 있었어요. 나도 그렇고 우리 누나도 마찬가지로 대학 입학시험에 떨어져서 다니지 못했을 뿐입니다. 합격만 했다면 부모님은 네 형제 모두 대학을 보냈을 거예요. 경제적으로는 어렵다고 하더라도 보내시려고 했거든요.

□ 평소 어머님이 어렸을 때부터 또는 아버님이 이제 집에서 어떻게 해라고 가르치시는 말씀이 있지 않습니까? 어떤 말씀을 주로 하셨나요? 가령 "어떤 사람이 되라" 이런 거 말입니다.

글쎄, 뭐 그런 것은 별로 없었습니다. 저희 어머니도 상당히 뭐라고 할까 예술 쪽을 좋아해요. 지금으로 말하면 나혜심, 권혜경 이런 가수들이 불렀던 '과거를 묻지 마세요.' 무슨 뭐이런 노래를 부르기를 참 노래를 잘하셨어요. 어머니가 노래를 좋아하셔서 저도 그런 것을 보고 아마 팝송 같은 걸 좋아하게 되지 않았나 싶습니다. 말하자면 어머니 영향으로 음악에 관심을 갖게 됐다는 생각이 좀 들더라고요. 부모님이 개방적이셔서 꼭 어떻게 해야 한다, 이런 게 없었어요.

□ 그러면 청소년기가 이제 말 그대로 질풍노도의 시기라고 그러지 않습니까? 그래서 반항도 하고 그러는 시기인데 혹시 그런 건 없었습니까?

아버지가 술 드시는 것을 저도 좀 상당히 싫어했어요. 그래 가지고 아버지한테 좀 반감도 갖고 대들다가 아버지가 화가 나서 저를 잡아 던져가지고 제가 나동그라진 때가 한 번 있었던 게 기억나요. 아버지가 엄마를 힘들게 한다, 이런 생각이 들어서 그렇게 반항하고 원망스런 생각을 하였던 거 같아요.

□ 청소년기에 삶의 어떤 지표가 됐다고 해야 되나, 이런 영향을 끼친 어떤 선생님이나 그런 분은 없습니까?

지금도 중학교 때 영어 선생님인 김○곤, 그분이 참 좋았어요. 고등학교 때 수학 선생님은 일제 강점기 복장을 그때도 입고 나오셔가지고 학생들 앞에서 교단에 서 가지고 가르치고 그러셨던 분이죠.

고교시절 기억 몇 토막

□ 일제 강점기 복장이라면 어떤 복장을 말씀하시는 건가요?

일정 때 입었던 옷이 있어요. 재건복이랄까, 말하자면 그런 복장을 입고 나오셔가지고 가르치셨지요. 해방 된 지 한 10년 이상 됐는데도 불구하고 이제 그런 것을 입으셨어요.

□ 무섭지 않았습니까?

워낙 그분은 말이 없으시고, 하여튼 그 선생님은 수학으로 학교 분필을 잡고 글씨를 쓰는 게 아니었어요. 분필을 잡고 학생들을 쳐다보면서 칠판에 분필 글씨를 쓰시던 그게 기억이 나요.

□ 선생님들 가운데에서 특별히 강 회장님에게 어떤 말을 해줘서 그게 '내 인생의 한 마디' 이런 거 있잖아요. 혹시 그런 건 없습니까?

그런 것은 뭐 별로 없고 초등학교 3학년 때 담임인 이○원

선생님이 계셨는데 그분이 참 좋으셨어요. 항상 인자하셨던 게 기억납니다. 특별히 해주신 얘기는 없었고 없었습니다. 당시에는 한 반에 보통 육십 명, 칠십 명이 있었습니다. 그래서 선생님과 가까이 이야기를 나눌 기회는 별로 없었던 거 같습니다. 근데 이○원 그 담임 선생님이 상당히 인자하시고 좋아하셨던 분이에요.

□ 생활기록부 또는 생활통지표 이런 것에서 선생님들이 본 강장원 학생 평가는 어땠나요?

"얌전하다"고 좋게 표현을 했는데, 성적은 조금 뒤쪽에 가있었죠. 말하자면 품행 면에 있어서는 괜찮은데 학교성적은 이제 뒤에 있으니까요. 그때 당시에 우등상이 있고 개근상, 그다음에 정근상이 있었잖아요? 개근상은 이제 1년 한 번도 안 빠지고 출석한 학생에게 주는 거고 우등상은 성적이 좋은 학생에게 주는 거고, 세 번 이하로 안 빠진 학생은 정근상이었지요. 저는 개근상 한 번 받고 정근상만 두 번 받아서 상이라는 건 그게 전부예요.

□ 부모님께서 그렇게 교육열이 높으셨지만 공부를 강요하거나 이러시지 않으셔서 공부는 그렇게 열심히 하셨던 거 같진 않습니다. 하지만 정서적으로는 아버님 술 드신 거 말고는 그

냥 큰 문제가 없었던 거 같군요.

지금 와서 생각을 해보면 그 당시 인격형성의 중요한 시기에 대학교라는 그 관문이 있습니다. 제가 아까도 얘기했지만 고등학교 졸업을 해가지고는 대학입시를 실패해 대학교육을 받진 못했습니다. 그래도 어머니가 대학을 가야 한다고 해서 저는 서울로 올라가서 재수생활을 하였습니다. 재수를 한 그 해에 예비고사 첫 해에는 없었는데 그 다음 해에 예비고사가 생겼어요. 예비고사를 봤는데 떨어져버렸어요. 그때 당시에 부모님이 어렵게 돈을 보내주며 학원에 다니라고 그랬는데 예비고사에 떨어져 대학을 갈 수 없었습니다. 예능 계통이라든가 체육이라든가 이런 데는 갈 수는 있어도 인문대나 이공대 이런 데를 갈 수가 없었어요. 그래서 내려와 가지고 아버지에게 이끌려 중장비 학원을 다닌 겁니다.

□ 전쟁 중에 태어나셨고 그 다음 6-70년대 4. 19와 새마을 운동, 이런 게 있었습니다. 그 무렵 군산은 사회적으로 어떤 분위기였습니까? 어렸을 때부터 청소년 시절까지 혹시 기억에 남은 거 없으세요?

4.19 때 군산에서는 학생들이 스크럼 짜고 시위했던 게 지금도 생각납니다. 전국의 중·고등학교, 대학교에서도 그랬지만 군산에서도 그렇게 했어요. 스크럼 짜서 학생들이 시위

를 했습니다. 그때 내가 초등학교 시절이었습니다. 7살에 학교를 갔으니까 4학년이나 됐을 겁니다.

□ 그때는 '중학생, 고등학생 형들이 왜 저러나?' 이랬습니까?

지금은 교육대학으로 바뀌었지만, 그때 당시 군산에 사범학교가 있었어요. 그때 군산 사범 나왔으면 꿍장히 엘리트였습니다. 전주사범이 있었고 목포에도 목포사범이 있었고 광주사범이 있었고 그때는 교육대학이라는 게 없었습니다. 근데 4.19 당시 군산사범학교 학생들이 막 쏟아져 나오던 장면이 기억납니다.

□ 일제강점기 때 쌀을 일본으로 실어가던 군산항이 있던 그 도시에서 자라서서 그런 이야기나 문화, 즉 군산 지역만의 독특한 걸 보고 들으신 것이 있을 것 같아요. 혹시 그런 건 없나요? 일제의 문화가 남아있었던 것 같아요. 아까 수학 선생님이 일제 강점기 복장을 하고 강의를 하셨다는 게 놀라웠습니다.

일본문화들 그때까지도 있었어요. 군산은 지금도 일제강점기 집들 곧 적산가옥이 많이 있죠. 저희 어머니가 일제강점기에 고등학교 과정을 다 마쳤기 때문에 일어에는 능통하셨어요. 그래가지고 일본 외양선원들이 군산에 오면 꼭 우리 집으로 와요. 우리 어머니가 일본말을 잘하니까, 우리 어머니하고 저 대화를 하면은 우리말로 대화하듯이 대화를 하셨습니다. 아버지도 일어를 잘하셨지요. 징용을 갔으니까 아버지도 일어를 잘 했습니다. 게다가 우리 집이 구멍가게를 하였기에 거기 와서 정종 술 한 잔을 하려면 일본사람들이 우리 집에 와서 한 잔씩 하고 갔어요.

□ 그러면 그런 분들한테 들은 이야기들이 꽤 많으실 것 같은데 그러니까 가게에 드나드는 분들, 곧 일본 외항선 선원들한테는 뭐 들은 것은 없습니까?

저는 일본어를 못하니까 들은 건 없습니다. 내가 어머니한테 일어를 조금 배웠어요. "너 일어를 좀 배워라, 일본어를 배워. 일어를 배우면 네 장래를 위해서 도움이 될 것이다" 이러셔가지고 일어를 좀 배웠어요. 그때부터 일본어는 그냥 기초 '히라가나 가타카나라' 해서 그런 것과 단어 좀 조합해서 인사 정도 하는 것으로 좀 했어요. 그때 어머니한테 받은 영향이 좀 있었죠. 하지만 앞으로 어떻게 하란다거나 그런 것에 있어서 어머니한테 받은 영향은 별로 없었습니다.

최전방 수송병으로 군복무

☐ 그러면 고등학교 졸업하시고 그 다음에 대학을 준비하다가 이제 재수까지 하시고 그다음에 군대를 가신 건가요? 군대는 육군으로 가셨나요?

군대는 제가 육군으로 와서 전주에서 기본교육 받고 후반기 교육은 부산 광안리에 있는 경기학교에 가서 받았습니다. 그 다음에 거기서 강원도 화천의 7사단이라는 데로 배치를 받아 최전방까지 올라갔어요. 제가 부산에서 강원도 화천 최전방까지 올라갔으니까 이게 기가 막히더라고요

☐ 병과는 보병이었습니까?

'수송'인데 부산 경기학교에서 제가 무슨 교육을 받았냐면 군안차라고 그랬었어요. 그때 당시에 군대에서는 '불안차' 지금으로 말하면 레카차죠, 자동차 사고 났을 때 견인해 가는 그 차 운전하는 걸 배웠어요. 그래서 배치를 받은 곳이 4주 후에 강원도 화천 보령 7사단입니다. 6.25 때 사단기를 뺏긴 데가 바로 보병 7사단 거기거든요. 그런데 박정희 대통령도

거기 사단장을 역임을 했다고 하더라고요. 저는 강원도 화천 거의 최전방까지 올라가지고 사방거리 풍산리 거기까지 올라가서 34개월 20일간 군대생활을 하였습니다.

□ 그러니까 학원을 좀 다니시다가 군대를 가신 거네요. 그러니까 중장비 학원을 다니신 영향이 있었군요. 군대에서 수송병을 하신 걸 보면…. 보통 아무런 기술이 없으면 그냥 주특기가 100인 보병이지 않습니까?

중장비 학원을 다녔다는 것 때문에 이제 수송 쪽으로 간 건 맞습니다. 그러고서 주특기가 610 해서 거기를 가게 됐는데 그것이 연결이 돼가지고 제대해 가지고도 중장비 다루는 일을 하게 된 것이죠. 하여튼 제 인생을 생각해 보면 크게 낭떠러지에 떨어졌다든가 그런 것은 없었지만, 그냥 막 둥글어 당기는, 요란하게 둥글어 당기기는 당겼어요.

□ 군시절 이야기를 좀 더 해주시면 좋겠습니다.

내가 강원도 화천의 7사단 56포대라는 데 있었어요. 포경 백오 미리 곡사포, 지금은 강원도 백오 미리 곡사포는 최전방에서 근무를 하는 쪽이죠.

□ 몇 년도 정도 됐을까요?

제가 1972년에 입대 해가지고 74년도 11월에 제대를 했어요.

□ 1972년은 박정희 유신이 선포됐던 딱 그 시점이지 않습니까? 군부대 내의 기강이랄지 이런 것도 삼엄하고 막 그랬을 것 같은데요.

그렇죠. 그때 당시에 저희 중대장이 육사 출신이었고 지금 중대장 이름도 기억납니다. 성○○ 대위라고 육사 출신인데, 원칙주의자입니다. 군기에서 조금이라도 이반된 것은 보지 못했습니다. 융통성이 없어요. 지금 육사 출신들은 그렇지 않은 모양이더라고요. 성향이 뭔가 좀 교육적인 면에서 '이거는 조금 내가 융통성을 발휘해야 되겠다' 하는 것은 있는 모양이던데 그때 당시에는 육사 출신이라고 하면은 어디 그냥 찔러도 그냥 피 한 방울 안 날 정도로 그렇게 엄했었어요.

□ 얼차려도 많이 받고 그러셨습니까?

얼차려는 중대장 직접 주는 건 아니고 소대장들이나 이런 상관들이 많이 했습니다. 제가 전방에서 운전하던 105미리 곡사포가 있었고 그 다음에 이제 8인치 곡사포가 있었어요. 8인치 곡사포는 크니까 아무래도 15mm 곡사포는 사거리가 짧고 8인치 곡사포 크니까 이제 후방에서 했는데 최전방에서 105미리 곡사포는 전방에서 근무했어요. 그래 가지고 일 년에 두 번씩 이동을 해요. 최전방 GOP로 들어갔다가 또 빠져가지고 후방에서도 근무를 했다가 이렇게 근무지를 이동해요. 그렇게 하다가 몇 번 이상 하다가 제대를 했습니다.

□ 그 시절 만난 동료들은 어떤 사람들이었습니까? 팔도에서 다 모였을 텐데….

그때 만난 동료들은 지금쯤은 다들 퇴직했을 겁니다. 그중 한 명은 대한통운에서 트럭기사를 하더라고요. 여기 같은 회사에 근무하던 친구도 있었습니다.

군복무 중 돌아가신 외할머니

□ 그러면 회장님이 군 제대할 때까지 가장 슬펐던 때는

어떤 때였습니까?

　　외할머니 돌아가셨을 때였습니다. 군에서 근무하는 동안에 할머니가 돌아가셨어요. 제가 조금만 있으면 제대를 할 무렵이었습니다. 그때 제가 편지로 "할머니 조금만 힘내세요." 이런 내용의 편지를 썼지요. 외할머니가 기관지가 안 좋으셔서 병원에서 투병 중이 계셨거든요. 저는 외할머니에 대한 그리움 같은 것이 남보다 애틋합니다. 할머니 집하고 저희 집이 붙어있었어요. 어렸을 때 어머니가 계셨지만 할머니가 무척 저를 예뻐해주셨지요. 왜 그냐면 막내 삼촌이 저보다 4살 아래고 위로는 이모들이 다섯 분이 계십니다. 할아버지가 아들을 얻고자 하는 마음이 남달랐어요. 저는 손자지만 첫 손자가 외삼촌보다도 빨리 제가 아들로 나오니까 외할머니가 거의 무릎에 놓고 기르셨다 해도 과언이 안 될 정도로 하셨습니다. 그렇게 저를 예뻐하셨고 그래서 어린 시절에는 부족한 점이 없이 잘 보살펴주셨으니까 제 인격 형성하는 데 있어서는 무난하였던 거 같습니다.

　　□ 혹시 외할머니가 들려주신 이야기는 없습니까?

　　외할머니가 들려주신 이야기에 대한 큰 기억은 없습니다.

□ 몇 세 정도에 돌아가셨나요?

제가 20대 때 돌아가셨으니까 외할머니가 아마 60세가
조금 넘어 돌아가셨습니다.

□ 외할머니와 외할아버지는 무슨 일을 하셨나요?

군산에 가면 '조선 정조서'라고 유명했었어요. 지금으로
말하면 철공소이죠. 그때 당시에도 외할아버지가 그 사진을
보면 큰 오토바이를 끌고 일본군 복장을 하고 그렇게 찍은
사진이 있어요. 일제강점기 철공소를 운영하셨습니다. 외할아
버지가 아들에 대한 열망이 워낙 강하셔서 제 위로도 다른
사람 아들을 양자 삼아 기른 아들이 둘이나 있었어요. 근데
두 아들 데려다 길렀는데 굉장히 속을 많이 썩였지요. 양자인
외삼촌들이 할아버지한테 그냥 돈도 안 주면 그냥 생떼를 부리
고 그랬지요. 대를 잇고자 양자를 들인 건데, 양자로 들어온
삼촌들을 기르면서 외할아버지와 외할머니가 스트레스를 많
이 받으셨던 거 같습니다.

호떡장사하다 폐결핵 걸려 귀향

□ 이제 무거운 이야기 말고 강 회장님 청소년기부터 또 이제 좋아했던 아가씨나 이런 분이 분명히 있었을 건데 첫사랑 이야기 좀 해 보시지요.

사실은 그때 인생공부 겸해서 친구들 셋이서 서울에 올라 갔어요. 저기 전주에 사는 친구 하나하고 고등학교 동창 하나 하고 저랑 갔습니다. 셋이서 무엇을 했냐면 서울 성북구 삼양 동에서 포장마차를 했었어요. 군 제대동기들끼리 의기투합해 서 호떡장사를 했지요. 그 중에 동창 하나는 그 후에 신학대학 을 가가지고 지금은 군산에서 유명한 목사가 됐어요. 저 학생 때 그 친구한테 담배 피우고 술 먹는 걸 배웠습니다. 그런데 이제 그 친구는 전주로 신학대학을 가면서부터 그 모든 걸 다 끊었죠. 신학대학 마치고 또 서울로 가서 석사과정을 밟더 라고요. 그 뒤 군산 개복동교회에서 목회하다가 지금은 아마 은퇴했을 겁니다.

□ 그때 포장마차를 하신 기간이 얼마나 됩니까?

오래 하진 않았어요. 우리가 호떡가게를 6개월쯤 했습니 다. 그때 당시에 제가 결핵을 한 번 앓았어요. 지금이야 이제 모든 걸 말할 수 있습니다. 결핵에 걸려 서울생활을 접고 군산에 내려왔습니다.

□ 그 시절에 연애편지 한 번 못 쓰셨어요?

연애편지보다도 서울에서 내가 호떡장사하면서 숙대생을 한번 만났습니다. 숙대생이 나 같은 사람은 거들떠보기나 하겠어요? 내가 거짓말을 뭐라고 했냐면 "나 고려대학교 시험을 봐가지고 지금 고대를 다닌다"고 그랬을 겁니다. 근데 조금 사귀다가 그냥 나를 차버리더라고요.

□ 군 시절까지 내 인생을 돌아봤을 때 이 이야기는 빼놓을 수가 없다. 혹시 그런 거 없습니까?

학교를 졸업하고 부대에서 제대해 가지고 서울생활을 했을 때까지가 지금 생각을 하면은 가장 절정기였던 거 같습니다. 말하자면 그 무렵이 히스토리가 아주 많이 있었던 그런 시기였었던 것 같아요.

□ 아까 그 삼인방 중에 그 이제 유명한 목회자 되신 친구분도 계시다고 하셨습니다. 회장님은 어렸을 때 교회에서 운

영하는 유치원을 다니셨잖아요. 그래서 혹시 회장님은 종교를 갖고 계시는지요?

그때 당시에는 없었어요. 제가 결혼할 때까지 형제들은 신앙이 없었고 저희 부모님이 먼저 교회 다니기 시작하셨습니다. 이모님들은 다 권사님이었고 막내 외삼촌이 장로님이었어요.

□ 그러면 언제 신앙생활을 하셨어요?

어머니가 신앙생활 한 지는 상당히 오래됐습니다. 아버지도 어머니 따라서 신앙생활을 같이 하셨는데, 거의 회갑 전후로 해서 시작하셨을 겁니다. 어머니가 보험회사를 다니셨거든요. 보험설계사를 하시면서도 신앙생활을 계속 하셨던 것 같아요. 지금 생각하면 그래 가지고 어머니가 보시던 성경도 지금 제가 갖고 있어요.

□ 아까 결핵이 걸리셨던 적 있었다고 하셨는데 그 얘기 좀 들려주세요.

저도 결핵에 걸렸지만, 전염이 됐는지 비슷한 시기에 우리 막내 동생도 결핵에 걸렸습니다. 그렇게 한 집에 두 아들이 그러니까 어머니가 "걱정 말아라, 너희 병은 내가 어떻게 하든 낫게 해주겠다"고 하셨지요. 그러면서 셋이서 붙잡고 막 울었던 기억이 있습니다. 그때만 생각하면 눈물이 납니다.

□ 그 시절은 결핵 걸리면 죽는다고 했고, 실제로 죽는 사람도 많았으니 무척 충격이 컸을 거 같습니다.

지금도 사진을 찍으면 그 결핵 자국이 나와요. 옛날에는 그 상처를 보고 뭔가 있다면서 다시 한 번 찍어보자고 해서 다시 찍고 그랬었거든요. 그런데 지금은 X-ray 판독 기술이 발전해서 그러는지 이거는 흉터다고 다시 찍지는 않습니다.

□ 그때 6개월 호떡장사를 하시다가 결핵에 걸리셔서 고향을 내려왔습니다. 그런데 동생까지 결핵에 걸렸고 투병생활 얼마나 하셨어요?

그때 당시에 결핵을 치료하는 방법에 있어서 초장기에 집중 치료를 하면 '이거는 걱정 안 해도 된다' 하는 것이 그때 당시에도 있었어요. 지금도 그 약 이름이 생각이 나거든요. 유한양행에서 나오는 리팜피신이라고 있었어요. 이 약이 상당히 고급이고 비싼 약이 있었어요. 그 약을 내가 한 달을 먹으니까 결핵이 딱 잡혀버리더라고요. 그때 당시에 보건소에서 결핵 치료제로 주는 약인 '아이나'라고 있었어요. 그런 약은 얼마든지 물로 막 주고 그랬는데 그거 안 먹고 리팜피신을 먹었어요. 비싼 약이었는데 어머님이 구해다 주셨지요.

폐병과 흡연

□ 그러니까 결핵 걸리신 게 인생에 있어 가장 큰 시련이었네요?

그렇다고도 볼 수가 있죠. 왜 그러냐하면 서울 포장마차에서 일하던 어느 날 몸이 안 좋더라고요. 그래서 "나 몸이 안 좋다, 일찍 들어가야겠다" 하고 나와서 집에 들어왔어요. 그런데 집에서 혼자서 막 피를 막 토했었어요. 각혈을 했어요. 그래서 처음에는 내가 뭐 때문에 피를 토하는지도 몰랐어요. 그런데 나중에 얘기를 들어보니까 결핵이라고 그러더군요. 지금이야 말 좋게 결핵이라고 하지만 그때 당시에 폐병이라고 그랬잖아요.

□ 결핵이란 사실은 보건소를 찾아가서 그걸 아셨나요?

일반 병원에 가서 한 번 진료를 해봤었어요. 엑스레이를 찍어봤었지요. 그랬더니 결핵이라고 그러더라고요. 그래서 바로 군산으로 내려왔었어요.

☐ 군대 시절까지는 순탄하셨는데 제대 이후 서울에서 친구들과 인생경험을 하겠다고 호떡장사를 하며 고생하다가 폐병을 얻으셨군요. 어머님도 엄청 놀라셨겠네요?

자식들이 둘이나 그러고 있으니 이게 뭐 어머니에게는 청천벽력 같았지요. 아들 둘이가 그러는 상황인데…. 장미동 그 집에서 서로 같이 이렇게 부둥켜안고 셋이서 울었던 것이…. 그 얘기만 하면 눈물이 납니다.

☐ 딱 한 달 치료하고 나서 완쾌되셨군요.

지금 생각하면은 한 달간 유한양행의 리팜피신으로 집중치료를 했던 게 상당한 효과가 있었습니다. 초기에 집중치료해서 효과를 본 것이죠.

☐ 강 회장님은 일기나 이런 건 남겨놓으신 거 없으신가요?

제 지금 생각하면 그런 것도 좀 쓰고 싶더라고요. 왜 그러냐 하면 이제 나이도 나이인 만큼 자꾸 이제 인지능력도 떨어지고 모든 게 자꾸 이제 떨어지니까 그런 것을 좀 더 오랫동안 유지를 하기 위해서는 그게 필요하지 않느냐는 생각이 들어요. 일기 같은 걸 쓴다든지 하다못해 "오늘 아무개를 만났는데 참 즐거웠다" 그 한 마디를 쓰더라도 이 손을 이렇게 자꾸 움직이는 게 좋겠다는 생각입니다. 제가 사실 기타를 쳐요. 그래서 키타를 치는 것도 하나의 내 자신을 위해서, 이 기타를 치면 자꾸 손을 움직여야 하니까 치매 예방에도 도움이 되지 않을까 싶습니다. 제가 담배 끊는 것은 언제였냐면 1990년도니까 30 몇 년 전입니다.

□ 고교시절 친구한테 담배를 배웠고 90년대까지 피우셨다면 무척 오랫동안 피우셨군요.

결핵은 그렇게 쉽게 잡았어요. 결핵 때문에 내가 큰 고생을 한 것은 아니지만 그래도 그 결핵이 걸렸다는 것 자체가 굉장히 나한테는 충격이 컸습니다. 남한테 결핵이라고 얘기도 못했어요. 그때 당시에는 "나 폐병 걸렸어"라고 하면 상대도 안했잖아요. 그래서였죠. 그러고도 담배는 계속 피웠습니다. 그러던 어느 날 강원도 놀러 갔는데 또 기침을 하면서 그냥 몸이 좀 안 좋더라고요. 그래서 '참 기회가 진짜 왔구나! 이거 내가 담배를 끊어야 되겠다' 그런 생각을 했습니다. 강원도에 가서 몸이 그냥 춥고 막 그러기에 '오늘부터 담배 끊는다!'고

결심을 하고 담배를 끊었어요. 그때 우리 큰 아들이 그때 3학년, 작은 아들이 1학년 그럴 때입니다. 그때 한참 공장 직원들이 차 사가지고 마이카 하던 시기였죠. 이제 다들 차를 여행을 다니면서 거기 갔습니다. 그런데 다들 권금성 올라간다고 난리인데 우리는 춥다고 안 간다고 그러면서 그때 1월 1일 그 날짜로 딱 끊었어요.

중장비학원에 다니다

□ 서울에서 생활하시다가 결핵에 걸려 고향에 내려오셨고 한 달간 집중치료로 완치가 되셨습니다. 그 다음 이야기를 좀 해주시죠.

저희 진로에 대해서 부모님이나 저 자신도 상당히 걱정을 많이 좀 했던 건 사실이에요. 실업계 고등학교를 나온 것도 아니고 인문계 고등학교를 나와 대학을 못 갔기 때문에 이에 대해 부모님이나 저나 좀 괴로워했습니다. 그런 시기에 아버지가 "너 그러지 말고 중장비를 배워라" 해서 저를 전주에 있는 중장비 학원에 등록시키셨습니다. 그래가지고 중장비를 배우기 시작했는데 그때 지금으로 말하자면 지게차 운전을 배웠어요. 그 면허증을 따니까 여천공단에서 남해화학이라는 데서 지게차 기사가 필요하다며 전주까지 연락이 왔어요.

□ 지게차 배우신 기간은 어느 정도였나요?

지게차를 배운 기간은 한 달 정도였습니다. 두 달까지는 안 됐고 한 달 이상 배우고 실습도 좀 해가지고 그렇게 어렵지 않게 땄습니다. 중장비에는 여러 종류가 있어요. 중장비에서 지게차도 하나의 건설장비입니다. 그런데 그 당시 남해화학에서 지게차 기사를 많이 필요로 하였습니다. 비료를 이렇게 옮기는 일을 해야 하기 때문이었지요. 그래서 그렇게 거기를 들어가고 한 15년 거기서 일하였습니다.

□ 그러니까 지게차 면허증을 따신지 얼마 안 지나서 남해화학에서 바로 취직이 되셨네요?

어떻게 보면 운이 좀 좋았던 것 같아요. 남해화학이라는 데가 임금도 좋았고 일을 할 수 있는 환경 같은 것도 그렇게 썩 좋은 건 아니지만 그런 대로 그냥 괜찮은 회사였습니다.

□ 여수 남해화학에 취직하신 뒤 곧바로 여수로 내려오신 건가요?

취업차 혼자 내려왔죠. 그때부터 여수생활을 시작을 한

거예요.

□ 그때가 몇 년도쯤인가요?

1977년도였습니다.

□ 제대해서 서울에서 생활하다 몸이 아팠던 시기가 75년도이고 77년에 취업이 되셨군요. 학원을 좀 다니시다가 바로 취업이 되셔서 집에서는 상당히 좋아하셨을 것 같습니다.

그렇죠. 그게 사실상 그때 당시에 제가 총각으로서 생활하기에 충분한 임금을 받았어요. 임금에서는 괜찮았어요.

□ 여기 여수에 처음 내려와 어디서 사셨어요?

중흥(동)이라는 데서 살았습니다. 지금은 여천공단이 완전히 다 공장지대가 됐지만 그때는 중흥이 주택지가 좀 있어서 그곳에서 하숙을 좀 했었어요. 한 6개월 정도 하숙하다가 여수 시내로 나왔죠. 여수 시내에서 이제 한 2년 또 하숙생활을 하다가 결혼을 하였습니다.

여수의 첫인상, 이국적이면서도 온정 많은 곳

□ 그러셨군요. 그때 여수 내려오셨을 때 군산과 서울에 비해 여천공단이나 여수 사람들의 이미지는 어떻든가요?

여수에 오니까 상당히 도시적인, 좀 이국적인 그런 풍경이 좀 느껴지더라고요. 왜 그러냐면 날씨가 좀 저 위쪽보다 온화하고 사람들이 대하는 것도 그랬어요. 여수에 대한 첫 인상은 참 좋았어요. 정이 있었고 뭔가를 좀 잘해주려고 그런 것 같았어요. 여수 중앙동 로타리에서 충무동까지 종려나무가 쭉 있어서 그게 이국적이었어요. 아주 도시 분위기가 참 좋게 보이더라고요. 그래서 '참 좋은 데구나!' 이런 생각을 했지요.

□ 그러면 그때 당시에 여천 시가지가 조성되고 그랬나요?

그때는 시가지 조성이 안 됐어요. 처음에는 전원적인 농촌마을인 쌍봉이라는 지역이름만 있었습니다.

□ 그러면 출퇴근은 버스를 타고 다니셨어요?

출퇴근 버스가 있으니까 그걸 이용하였지요. 처음에 와가지고 수정동에서 좀 있다가 관문동으로, 또 역전 쪽에 살았고 좀 여러 군데를 하숙하며 돌아다녔어요.

□ 직장동료들 관계는 좀 어떠셨나요?

동료들의 관계가 원만했었어요.

□ 아무래도 산단 남해화학도 이제 막 출발했던 시절이었고 사원들도 전국에서 모집이 되어 온 거 아닌가요?

전국에서 왔어요. 경력자들이 필요하니까 그때 준공해가지고 77년도에 남해화학이 준공됐거든요. 제가 77년도 12월부터 일을 했어요. 그러니까 이제 공장이 굉장히 사람이 기술자들이 필요했던 시기였었어요. 그래 가지고 울산에 있는 영남화학, 충주에 있는 충주 비료, 진해에 있는 진해화학, 나주 비료 이런 데서 경력 있는 사람들을 데리고 그러던 시기였어요. 그러니까 공장에 여수 토박이 보다는 주로 객지사람들이 많았지요. 그래서 저도 이렇게 총각 생활을 하다 보니까 총각들끼리 어울리는 하나의 그룹이 있었어요. 그때 만난 친구들

중에 벌써 세 명쯤이 죽었어요.

□ 그러면 지게차부터 시작해서 무슨 일을 하신 건가요?

나중에 크레인으로 바꿨어요. 크레인 면허가 있었으니까요. 크레인으로 한 10년쯤 했을 겁니다.

서른한 살 노총각의 소개팅과 결혼(아내와 함께 응답)

□ 이제 인륜지대사, 결혼 이야기로 넘어가겠습니다. 한 3년 정도 남해화학에서 총각으로 일하며 하숙생활을 하시다가 결혼 혼담이 어떻게 진행이 됐습니까? 그 이야기를 좀 해주시죠.

○ (아내) 지금은 돌아가신 제 남편의 친구가 저희 친구하고 결혼을 했어요. 내가 그 친구 결혼 때도 가고 그랬는데 그때는 (남편 얼굴을) 별로 못 봤죠. 몰랐죠. 근데 그 친구가 저를 소개하였어요. (제 남편에게는) 같은 직장에서 나이가 비슷해서 서로 친구처럼 지내는 분들이 있었어요. 그때 당시 서른한 살이면 노총각이었어요. 함께 어울리는 주변 친구들은 다 결

혼했어요. 이 양반 혼자만 결혼을 안 하고 있었어요. 전에 선을 볼 때는 자기가 퇴자를 놨는데 나중에는 퇴짜 맞기 시작하더랍니다. 이제 아니가 나이가 들어가니까 좀 그런 게 있었나 봐요. 그러던 차에 '친구 있으면 소개 좀 해 달라'고 막 그랬나 봐요. 그러니까 그 친구가 저 보고 "수영이 아빠 친구 직원인데 한 번 만나볼래?" 그러더라고요. 저도 성격이 막 뒤로 빼고 막 그런 게 있어서 망설이다가 "한 번 봐보지" 뭐 그랬어요. 그때 제 나이 스물다섯, 이 양반은 서른하나였습니다.

그 뒤에 몇 번 만났고, 저는 아직 생각도 없었는데 속전속결로 밀어붙이더라고요. 저도 그때 직장생활을 하고 있었는데 퇴근길에 잠깐 여수역 앞에 있는 '미원제관'이라고 있었어요. 거기서 잠깐 만나자고 해서 그런 줄 알고 갔어요. 갔더니 어르신들 두 분이 다 계시는 거예요. 그렇게 해서 만난 지 석 달 만에 결혼했어요.

□ 인상이 어떠셨어요?

만남에 대한 인상은 그렇게 나쁘지는 않았습니다. 그런대로 '이 여자하고는 결혼을 해도 내가 괜찮겠다.' 하는 생각은 확실히 섰어요. 양쪽 친구가 다 가까워서 서로에 대해 어느 정도 알고 만난 셈이지요. 그래가지고 몇 번 이렇게 만나가지고 서로 이렇게 얘기를 하다 보니까 잘 통했던 거 같습니다.

□ 그렇군요.

이 사람(아내)은 학교 다닐 때 쟁쟁했어요. 말하자면 옛날 규율 부장, 선도부장이었어요. 교련복 입고 학교에서 그러니까 좀 뭐라고 할까 학생들 간에 말하자면 좀 지도력이 좀 있었던 것 같아요. 그래서 그 친구들도 보면 사실 또 좀 점잖은 사람들이었지요. 괜찮았어요. 그래서 부모님에게 얼른 와서 보라고 한 거죠.

□ 한 서너 번 서로 만나시고는 부모님이랑 함께 만나신 건가요?

○ (아내) 자주 만나 만나기는 만났죠. 퇴근하면 거의 자주 만났어요. 이 양반은 솔직히 말하면 나이도 서른하나인데 어지간하면 하자고 그랬나 봅니다. 부엉이가 그런다고 하잖아요. 처음에는 "예쁜 각시, 젊은 각시…" 이러다가 나이가 먹은 뒤에는 "아이고, 어지간하면 하자." (웃음)

□ 실제로 그러셨나요?

아내를 만나 기전에 여수 여자들 선을 몇 번 봤죠. 직장이 좋으니 소개하는 데가 많았죠.

□ 그 시대만 하더라도 그랬겠네요.

근데 제가 또 인물이 조금 어느 정도 되고 하다 보니까, 인상은 괜찮았던 것 같아요. 그러니까 그냥 소개하는 데가 많았죠. 그때는 내 자신이 좀 고르는 편이었었죠. 그러다가 딱 3학년(30대)이 되니까 그때부터는 내가 밀리더라고요. 벌써 '올드(old)'다 이거였지요.

□ 그래서 마음이 좀 급해지셨구먼요.

아이고, 딱 30이 넘어가니까 선 볼 때 퇴짜 맞기 시작하더라고요.

□ 불과 30대 초반인데, 나이가 많은 축에 들어갔나 보군요.

그 시절로 치면 나이 많은 편이었어요. 지금은 삼십대 초반은 물론이고 삼십대 후반도 그리 나이 먹은 축에 안 들어가는데, 그때는 삼십이면 우리 동료들 가운데서도 좀 비교적 늦은 나이였어요.

□ 그래서 고르고 고르시다가 서두르신 거로군요. (웃음) 그래서 소개해준 동료 내외하고는 아주 가깝게 교류하며 지내셨겠네요?

지금도 가깝지요.

○ (아내) 남편 돌아가시고 안 계시는 그 친구하고는 지금도 가깝습니다. 독실한 기독교 권사님이에요. 애들 이름도 '사랑, 소망,' 그렇습니다.

□ 그분은 어디가 좋아서 친구에게 중매를 서주셨을까요?

다른 게 아니고 그분이 중매했다는 거에 대한 신망이 저에게는 굉장히 컸었어요. 그래서 중매하는 데 있어서 서로 따지고 어쩌고 그런 것은 크게 없었던 것 같아요. 다 견줘보고는 '얘 같으면 괜찮겠다' 해서 소개했을 거니까요.

□ 그것도 직장에서 건실한 사람이라고 인정받았기 때문에 소개한 거 아니겠습니까?

○ (아내) 저는 당시에 여천공단 직원들을 '별로다' 생각했었

어요. 별로 내놓을 것도 없으면서 그냥 월급쟁이지 뭐, 이렇게 생각했고…. 다른 것보다는 (제 남편이) 젊었을 때 인물이 좋았어요. 키도 크고 저는 솔직히 거기에 끌렸던 것 같아요.

□ 그러셨구나, 직장보다는….

직장보다는 인물이었죠. 이 사람(아내)은 결혼에 대한 큰 준비는 없었던 상태에서 제가 이제 딱 들이 닥쳐버린 것이죠.

□ 양가에서 반응은 어땠습니까?

다 '오케이'했죠. 그냥 특별히 '하지 마' 그런 건 없었어요.

□ 혹시 '여수 사람'과 만나는 것에 대해서 좀 꺼려한다든지 하는 건 없었어요? 왜냐하면 우리 여수가 좀 이렇게 특수한 지역이지 않습니까? '여순사건'의 아픔을 겪은, 그래서 외지에서 볼 때는 여수 사람들에 대해 좀 드세다, 그런 편견도 있었다던데….

사실은 그건 있어요. 그렇죠. 말씀하신 그것도 맞아요.

왜 그러냐면 반도의 끄트머리에가 있다는 그런 지역적인 게 있기 때문에, 여수가 말하자면 중앙권력 같은 데서 소외된 그런 것이 있죠. 여수 오면 옛날에 (밀수왕) '허복룡'이네 무슨 이런 것에 대한 여수지역 이미지 이런 것이 있기 때문에 이미지가 썩 좋은 편은 아니었어요.

□ 그러니까 부모님이 여수 사람이라고 하니 썩 맘에 들어하신 건 아니었나요?

그런 것은 없었어요. 어머님이 "아이고, 여수 말이야. 거기 좀 복잡해. 거기 그쪽 사람들은 좀 힘들어. 하지 마" 그런 것은 없었어요.

○ (아내) 우리 어머님이 실리적이고 현명하셔가지고 그 정도면 "네가 객지 가서 처가집이라도 가까이 있어야지" 그런 게 있었어요.

강) 우리 어머니도 처음에 만나자 그냥 하라고 그러시더라고요. 무슨 커다란 조건을 내세운 건 없었어요.

○ (아내) 조건을 내세울 것은 쥐뿔도 없는데…. 나이가 서른한 살 노총각인데…. (웃음)

자녀계획: "둘만 낳아 잘 기르자"

□ 그래서 결혼을 하셨고 자녀는 어떻게 계획을 하셨나요?

○ (아내) 그때 당시는 둘만 낳아 잘 기르자는 때라서 그냥 결혼하니까 아기가 생기게 아들 둘 낳으니까 바로 이제 안 낳아야 된다는 생각을 딱 가져버리니까 그때 딱 안 낳았죠. 아들만 둘을 낳다 보니까, 딸만 둘이었으면 더 낳으라고 했을 텐데, 왜냐하면 우리 친정집에 아들이 없어요. 딸만 넷이거든요. 이 양반 댁에는 아들만 줄줄이고요. 근데 아들 둘 딱 낳으니까 이제 더 이상 회사에서 교육비 지원도 안 해주지, 그때 당시 의료보험 있어야 되는데 그 당시에는 의료보험도 셋째는 안 돼요. 셋째는 의료보험도 안해 주고 학자금 학자금도 안 주고 그랬죠. 대학교까지 학자금이라는 게 만만치가 않은데 우리 군이 셋을 뭐 하러 낳아, 그래서 둘을 낳고 딱 끝냈죠. 친정 부모님들이 참 좋아하셨죠. 바로 그냥 아들을 낳아버리니까.

□ 더군다나 또 장자이시다 보니까 그게 좀 그게 강하지 않습니까?

아들에 대한 개념 자체가 그냥 단지 아들로만 끝난 것이 아닙니다. 처갓집에 딸만 넷이에요. 제 아내가 제일 맏이고요. 거기에다가 또 처 시할머니가 같이 살았어요. 그러니까 우리 장모님이 시어머니를 모시고 살았어요. 그래가지고 할머니로부터 받은 교육이 있었기 때문에 아들에 대한 개념이 단지 아들로만 끝난 것이 아니고 비록 친정 외손주지만 그분들에게는 아들이 주는 그 위안감이라든가 이런 게 남달랐어요. 그리고 제 아내의 친정이 딸 넷 가운데서 둘째하고 셋째 사이에 아들이 있었어요. 근데 일곱 살에 뇌막염으로 죽었다고 그러더라고요. 그러니까 아들에 대한 그리움이 얼마나 컸겠어요?

□ 그러셨군요.

그런데 이 사람이 막 결혼하자마자 아들 둘을 펑펑 낳아버리니까 말도 못 할 정도, 그냥 인생 최대한의 그 어떤 기쁨을 맛보셨죠.

□ 오졌겠네요. 회장님도 처가에서 굉장히 진짜 인정을 받으셨겠어요.

그렇죠. 근데 이제 제가 처가에서 아들 노릇을 하면서 두 장인 장모님을 기쁘게 좀 해드려야 되는데 그런 것에 있어서 제가 제대로 했나 잘 모르겠어요. 그냥 원만했어요. 참 좋아했어요. 우리 장인어른이 저를 굉장히 좋아하셨고 저도 장인어른한테 잘한다고 했는데 부족했죠.

□ 자녀들은 어떻게 키우셨어요? 주로 그때쯤에는 이제 사모님이 직장도 그만두시고 전업주부로 아이들 키우시면서 사셨을 거 같은데….

○ (아내) 그때 애들이 한참 이제 초등학교 유치원 다닐 때는 어차피 다 회사 자체에서 유치원도 있고 여도 초·중·고등학교 다 있었잖아요. 그래서 그 수순 그대로 밟아서 그냥 여도 유치원, 초등학교, 중학교 회사 나오고 그래서 큰 아들은 한영 고등학교 갔고, 작은아들은 여천고를 가고 그랬는데 우리 애들이 학교 다닐 무렵에 컴퓨터 문화였어요. 하지만 우리가 봤을 때 컴퓨터가 애들 게임하는 것밖에 안 쓰더라고요. 지금은 컴퓨터에서 모든 지식을 얻고 모든 사무에도 컴퓨터 없으면 안 되지만, 그때 당시에는 애들이 컴퓨터로 게임만 해요. 그러니까 컴퓨터를 고등학교 졸업할 때까지 안 사줬어요. 대학교 가서 샀지요. 그러니까 지금도 그 얘기를 해요. "우리 엄마는 컴퓨터를 안 사줬어. 하긴 그때는 그게 맞아. 사실 우리한테

컴퓨터가 있었으면 맨날 게임 했을 거야. 학교에서 컴퓨터로 숙제를 내 주거나 그런 건 아니었으니까" 그런 말을 하더라고요.

□ 아드님들이 착하고 순종적이있나 보군요. 그걸 참은 걸 보면.

부모들이 안 된다면 안 되는 줄 알았죠.

□ 방금 잠깐 나왔지만 자녀들과의 관계는 어땠나요? 자녀들이 어떤 사고도 치지 않고 무난하게 자라줬나요?

○ (아내) 사고치고 그런 적 없어요. 저희는 애들 키우면서 중2병이니 사춘기니 이런 게 있지만 한 번도 대들어본 적도 없어요. 아이들이 그런 걸 전혀 몰랐고 또 이제 학교 다니면서도 우리 큰아들은 그냥 수순대로 올라갔지요. 다만 한 가지 큰아들(성우)가 고2때인 어느 날 학원에서 전화가 왔어요. "성우 어머님 전화지요? 성우가 지금 술이 만땅이 돼갖고, 떡이 돼갖고 지금 도저히 수업이 안 돼서 뒤에 앉아 쓰러져있습니다." 그러더라고요. 그래서 이제 둘이 이제 갔죠. 가서 보니까 친구들이 데리고 내려와서 차에 태웠어요. 그대로 데리고 왔지요. 그래 갖고 그대로 저희들 방에 눕혀놓고 뒷날 왜 그랬냐

고 물어보지도 않았어요. 뒷날 아무 일 없었던 것처럼 학교에 갔어요. 무슨 일이 있었는지 안 물어봤지요. 근데 나중에 얘기를 하더라고요. 여자 친구하고 헤어졌다고. 그거 한 번 있었어요.

□ 두 분의 교육방법이 독특하시네요. 보통 부모들 같으면 왜 그랬는지 바로 깨어나면 물어볼 텐데.

자기가 스스로 말하겠지 그렇게 생각한 거예요.

□ 그냥 '그럴 수도 있겠지' 그렇게 생각하신 거예요?

저는 별로 신경 안 썼어요.

○ (아내) 이 양반은 이제 어차피 교대근무를 하니까, 오늘은 아침 근무를 갔으면 내일은 바로 근무가 바뀌고 그랬어요. 오프가 되면 쉬는 날도 많지만 그때 또 애들이 학교 가니까 같이 많은 시간을 보낼 순 없지요. 또 같은 남자로서 아들이니까 그럴 수도 있지 하면서 이해하는 부분도 있었어요. 그래서 안 물어본 거죠. 우리 작은아들은 고등학교 한 2학년이나 됐을 때였어요. 그때 우리가 엘란트라였거든요. 경비 아저씨가 "이 차가 이상하다"고 하는 거예요. 가서 보니 우리 자동차가 내가

주차해놓은 자리에 없어요. '왜 이 차가 여기에 있지?'라고 경비 아저씨한테 물어봤더니 아드님이 차를 거기다 갖다대놓았다는 거예요. 잘 살펴보니 차에 약간 흠집이 났더라고요. 이 녀석이 자동차를 몰고 아파트 단지 내를 살살 돌았나 봐요. 전혀 몰랐죠.

그러니 자동차 키 관리를 잘해야 돼요. 그렇게 살살 돌다가 그날은 지금 여도 중학교 있는데 거기까지 갔다 온 거예요. 우리가 선원동 금호아파트 살 때인데 둔덕까지 갔다가 온 거예요. 무면허로. 그 애는 그 일이 제일 큰 문제였어요. 그러고 지나갔어요. 그때 당시에는 "아파트 단지 내부를 돌기만 했다"고 그랬어요. 근데 뭐 나중에 성인이 돼갖고 그때 말을 하더라고요. "엄마 그때 나 어디까지 간 줄 알아? 학교까지 갔다 왔어." 그러더라고요. 그 일 말고는 특별히 별 다른 사고는 없었어요.

□ 정말 무한신뢰네요. 아니 무면허로 차 끌고 간 거는, 만일 술 취하고 그러면 대형사고인데….

어쨌든 아들만 둘이라 애들이 좀 거칠게도 좀 컸을 것 같아요. 아들만 둘인 집은 형제끼리 많이 싸우거든요. 하지만 우리는 그런 걸 몰랐어요. 아들만 둘인데도 아이들이 참 그 정도면 다른 집 아이들에 비해서 별 탈 없이 잘 컸던 것 같아요.

○ (아내) 그러긴 했는데 나중에 이야기를 들어보니까 형이 작은 애를 엄청 잡았다고 하더라고요. "돈만 모으면 형이 다 가져갔어." 그런 말을 해요. 지금도 우리 큰아들은 좀 뭔가 배포가 커서 팍 쓰는 편이고 우리 작은아들은 좀 가정적으로 항상 알뜰살뜰 그런 스타일이라서 부모님이나 누가 주는 돈을 잘 아껴놓으면 형이 살살 꼬드겨서 다 썼대요 근데 그런 성향이 지금도 나오는 거 같아요. 지금도 두 형제밖에 몰라요 근데 다행인 게 우리 며느리들도 우애 좋게 언니동생처럼 그렇게 잘 지냅니다. 그래서 나 그게 제일 감사해요. 큰애가 포용력이 굉장히 커요. 형 노릇을 하느라고.

43년간의 부부관계

□ 이제 결혼생활 벌써 몇 년이신가요? 43년, 기나긴 인생의 정말 동반자로 살아오셨는데 어째 좀 이렇게 삐거덕, 그러는 거는 없으셨나요?

○ (아내) 왜 없겠어요? 삐거덕 거리는 거 있죠. '이거 진짜 살아 말아.' 이럴 때가 있죠.

□ 우리나라 이혼 원인이 1위가 성격차이라고 하는데 어떻습니까?

그런 것도 있어요. 성격 차이가 있고 이 사람(아내)은 워낙 외향적이에요. 좀 뭐라 그럴까 많은 사람들을 접촉하면서 교분 맺는 걸 즐겨 해요. 나는 그런 것보다는 한 사람이나 두 사람이라도 정말로 나하고 교감할 수 있는 사람, 그 사람이면 되지 뭐 굳이 많은 사람들과 교분을 맺고 그럴 필요가 있느냐, 지금도 그런 생각이지요. 지금도 이 사람은 하여튼 최대한으로 많은 사람들을 사귀려 합니다. 여수에 친구들도 많고 선후배들도 많고 하니까 그 학교에 대한 교분 관계 그런 것이 있어서 아는 사람이 얼마나 많은지 모릅니다. 그냥 뭐 여기 17년 살았는데 그런 모임이 많아요.

□ 그러니까 학교 다닐 때 선도부장도 하시고 그런 것부터 상당히 좀 외향적 성격과 관련이 있었나 보군요.

네, 그런 거라 볼 수 있지요. 저는 그런 것이 좀 나이 먹어서는 어느 정도 정리가 좀 돼야 할 텐데 그게 안 됩니다. 그냥 다수를 그냥 포용하라고, 많은 사람들 최대한으로 받아들이라고 하면 잘 안 됩니다. 그래서 제가 그래요 "자네는 외화내빈이라고 바깥에 가면은 진짜 화려하고 나한테 하는 것은 그러지 않다"고.

□ 사모님이 바깥에다 더 많은 애정을 써두시는 거에 대한 불만이 좀 있으신 것 같네요.

○ (아내) 그런 건 아니고 사람의 인생관이라든가 이런 게 좀 다르다고 봐야겠지요. 저는 한 번 맺은 인연에 대해서는 굉장히 소중하게 생각하거든요. 그래서 우유부단한 거는 아니지만 어쨌든 좋은 사람들과의 좋은 관계는 굳이 내가 노력할 필요는 없는 거고, 그런데 이 양반은 그게 아닙니다. 사람이 살다 보면 다양한 사람과 살아야 하는데 '난 그냥 이 사람하고만 맞으니 그 사람과만 어울리고 당신은 아니다'라고 마음속에서 쳐내면 이거는 이심전심으로 그 사람도 나를 쳐내게 되잖아요? 근데 저는 그거는 아니라고 보거든요. 그래서 항상 모든 사람들하고는 원만한 유대관계를 갖고 그렇게 한다고 해서 내가 다 밖으로 도는 건 아니거든요. 그냥 이 양반이 너무 과장되게 얘기를 한 것 같아요. 제가 지금 밖으로 돌았으면 살림이 안 됐겠죠. 근데 이제 어찌 됐든 이 양반은 그렇게 다른 사람들이 잘하는 것만큼 자기한테 잘하라 그러는 건데 인간관계는 부부도 상대적인 거죠.

강) 제가 정말로 아끼고 절친인 친구 하나가 있습니다. 아마 대전 출신인데 그 친구가 회사에서 같이 이렇게 생활하면서 우리가 선원동 주택 살 때 뒷집 살았어요. 앞뒷집 살아가지고 그때 당시에 가끔 술도 함께 먹으면서 왕래하였고 밖에 나가서 2차도 하면서 참 재밌게 지냈는데 그 친구가 공군 군악대에서 색소폰을 불었어요. 그래서 색소폰을 참 잘 불어요.

하지만 회사를 다니면서 거의 삼십 년간을 색소폰으로 안 불었지요. 퇴직을 하고 나서도 한 10년을 색소폰을 안 불더니 어느 날 색소폰을 분다고 하더라고요. 그래서 '무슨 색소폰을 불지?' 그랬는데 그 친구가 색소폰을 굉장히 아주 잘 불더군요. 그래가지고 결국 서울에 가서 학원을 다니면서 제자들 가르치고 그러는 일을 하더라고요. 그 친구랑 제 마음이 잘 통했어요. 나는 비록 여수 살고 그는 서울에 살지만 서로에게 전화도 하고 가끔 이렇게 만나기도 하고 그랬어요. 그런데 폐암으로 결국은 죽더라고요. 그래서 굉장히 상실감이 컸어요. 마음이 많이 아팠지요.

□ 그러셨군요. 그러니까 강 회장님이 젊은 시절에 팝송을 좋아하시고 기타를 잘 치시고 문학적이고 그런 기질이 있으셨어요. 그런데 어떻게든 직장생활하면서 기계를 다루는 일을 하셨지요. 결혼 생활하시면서 취미로는 무얼 하셨나요?

테니스도 좀 했고 등산 같은 거 그런 거를 좀 했고요, 어디 여행 다니는 것도 좀 좋아해서 여행 다니고 그랬습니다. 그 시절에는 집, 회사, 테니스장 거의 그랬죠. 젊었을 때는 술은 좀 좋아했어요. 그래가지고 술을 먹다가 끊은 지 한 7년 됐습니다. 몸이 좀 안 좋으니까 끊었습니다.

□ 그래도 테니스로 몸 관리를 잘 하셨네요?

그거는 뭐 그렇다고 봐요. 등산 같은 것도 즐겨 하긴 했고 비교적 건강한 편이었는데, 사실 부정맥이 있습니다. 그래서 의사가 술 끊으라고 그러니까 그날부로 그냥 술을 끊어버렸어요. 담배는 그보다 일찍 끊어버렸고요.

□ 결혼해서 신혼보금자리를 어디에 마련하셨나요, 어디서 사셨나요?

○ (아내) 신혼집이 어디였냐면 이 양반이 자취를 하고 있었어요. 하숙을 하다가 하숙에 너무 비용이 많이 드니까 자취를 하였습니다. 결혼하기 얼마 전에 자취하던 집을 정리를 해가지고 국동의 주공 아파트 열 평짜리 거기서 시작했습니다. 그때 당시 주공 아파트 임대료가 62만 원인가 그랬을 거예요. 그랬는데 거기서 저희가 전세로 살았어요. 거기서 전세로 시

작했다가 다시 큰애 낳고 작은애 임신해가지고 쌍봉 주공 아파
트로 이사하였지요.

　그때 이 장미 아파트하고 주공 아파트 사이에는 포장이 안
돼 있었어요. 그런 시절에 거기서 한 2년 살다가 당시에 각
회사별로 조합주택을 많이 지었어요. 여천에도 남해 조합주택
이 많거든요. 에틸랜드 모이는 데 조합주택을 짓는 데가 어디
하냐면은 현대 봉탕 뒤에 현대봉탕 아세요. 거기 조합주택 분
양을 받아가지고 옛날 도깨비 시장 바로 앞에 했잖아요. 그래
서 거기서부터 우리 작은아기 한두 살이 채 안 됐을 때, 우리
큰애 네 살 때 내가 그곳으로 이사를 갔죠. 대궐에 온 것 같더
라고요. 열 평짜리 살다가 27평 주택이니까. 마당도 있고 하니
까요.

　□ 그게 몇 년도쯤인가요?

　　그때가 우리 큰아들이 지금 마흔두 살, 큰아들이 다섯
살 때 이사를 갔으니 84년쯤일 겁니다. 그래 가지고 거기에서
애들이 그때 한창 초등학교 다니고 그렇게 컸어요. 거기서 살
다가 주공으로 갔다가 또 206동으로 갔습니다. 그러다가 사택
이 나오게 되니까 '집을 얼른 팔아야 되겠다' 생각을 해서 그때
팔았어요. 생각보다 빨리 팔리더라고요 그때도 우리 집 정원
이 예뻤어요. 우리 여기 펜션의 정원도 굉장히 아름답지 않습

니까?

꽃 가꾸는 '펜션' 여주인

□ 사모님이 꽃 가꾸고 그런 걸 좋아하신 것 같아요. 단독주택에 살 때부터 꽃밭을 가꾸기 시작하신 건가요, 아니면 그전에 그걸 배우신 건가요?

○ (아내) 우리 엄마 아버지가 그래요. 저희 집이 여수 한산사 바로 아래였거든요. 근데 얼마 전에부터 이제 그게 없어졌어요. 거기는 산이잖아요. 문만 열고 나오면 바로 산이었어요. 그런데 그 산에 있는 춘란 꽃이 피면 그 꽃들이 그렇게 예쁠 수가 없는 거예요. 내가 어린 게 그래서 그 꽃을 캐고 와서 우리 화단에다 심어놨어요. 그 어린 게 갖다 심어놨으니 그 꽃이 살겠어요? 죽었죠. 그리고 제가 크면서는 중고등학교 다닐 때도 꽃을 좋아해서 집에 들어가는 양쪽에 메리골드, 코스모스를 심었어요. 근데 그 성향이 우리 친정 아버지 성향을 닮았어요. 우리 아버지가 집안에 여러 가지 나무를 많이 심으셨어요. 앵두나 무슨 그런 나무들을 심어서 그 영향이 컸던 것 같아요. 그래서 저는 어려서부터 꽃을 좋아했고 열 평짜리

아파트 살면서도 저희 집에 화분이 떨어지지 않았습니다.

선원동 금호아파트 살면서는 집이 넓잖아요. 베란다가 넓고 하니까, 당시만 해도 베란다 정원이라는 개념이 여수에는 없었어요. 근데 내가 책자를 많이 봤었거든요. 그때 베란다 정원이라는 책이 있었어요. 실내 조경 베란다 정원 지금도 그 책이 있거든요. 그걸 매일 보면서 '진짜 좋다, 좋다' 하다가 내가 그 베란다 정원을 꾸며서 만들었죠. 빨간 벽돌 사다가 막 이렇게 하고 안에는 빨간색 고무통 타운 그거 위에 잘라버리고 거기다가 이렇게 해서 밖에는 빨간 벽돌이 보이게 해서 만들었어요. 그거 거기 베란다뿐만이 아니고 베란다에서 이렇게 들어오면 거실에다가도 한쪽 구석에 정원을 만들었습니다.

그러니까 그것이 실내 습도 조절 내지는 녹색에 대한 바라보는 습도 조절이 되게 가습기에 따뜻하고 우리들의 정성이 요즘에 많이 하죠. 그때는 굉장히 선구적이었는데 했어요. 그리고 한 벽에 우리는 아무 것도 안 걸고 스킨답서스 화분을 밑에다 양쪽에 놓고 스킨답서스를 키우려면 이렇게 이제 스카치 테이프로 줄기를 딱딱 벽에다 붙여서 온 벽이 다 스킨답서스가 다 덮어버렸죠. 근데 그것도 다 책에서 봤어요. 제가 책에서 보고 한 거죠.

□ 그런 것들이 좋으셨나 보군요.

좋았어요. 그때 당시에는 굉장히 좋았죠. 정원이 베란다에 있는 것도 좋지만은 그 거실 한 쪽에 있는 거도 좋았습니다. 우리가 선원동 금호 아파트 43평짜리에 살았었어요. 그 당시 비교적 다른 데보다도 거실이 좀 넓었어요. 그래서 그 한 쪽에 면에다가 정원을 만들었어요. 그러니까 실내 인테리어를 따로 할 것이 없었어요. 이거 하나가 그냥 오로지 전체를 좌우해버리니까.

○ (아내) 그러다가 동부 6군을 다 돌아다니면서 집이 여기 있어서는 안 되겠다 해서 좀 큰 데로 옮기자고 한 겁니다. 이 양반이 "좀 더 넓은 곳으로 가서 원하는 대로 꽃 한 번 키워 보라"고 그랬거든요. 그래서 이제 이렇게 오게 된 거예요.

□ 그럼 퇴직하고 이곳 가사마을로 오신 거예요? 아니면 퇴직하기 전에 이곳으로 이사 오신 건가요?

저와 이 사람(아내)는 거의 2년 동안 전원생활을 꿈꿔왔었어요. 전원에 살면서 꽃도 좀 가꾸고 그런 생활을 꿈꾸면서 2년 동안을 찾아서 헤맸어요. 그러다가 당시에는 가사리가 어디에 있는 줄도 몰랐는데, 정보지에서 가사리 어디에 땅이 나왔는데 800 몇 평이고 집이 한 채 있다고 그러더라고요.

○ (아내) 그때는 지금 건물 가운데 집이 하나 있었어요. 그래서 그때 당시 제가 차를 몰고 이곳을 찾아왔지요. 이 마을에 와보니 지금도 회관 옆에 할머니들이 주르륵 앉아계시곤 하는데 그때도 여기 할머니들이 앉아 계셨어요. 그래서 "할머니, 여기 올라가는 길이 있어요?"라고 물었죠. "그냥 올라가!," 그러더라고요 그래서 그런 가보다고 차를 갖고 올라 가는데 이건 장난 아니더군요. 지금은 고속도로 수준이잖아요. 그때는 길이 너무 좁았어요. 기가 막혔어요. 후진하려 했더니 후진이 더 어렵더군요. 안 올라가려 해도 그럴 수 없었어요. 그래서 할 수 없이 올라왔어요. 올라오니까 여기 현재 주차장 여기서 돌릴 수 있더라고요. 근데 와서 보니까 심란해서 "아니다. 도저히 못 살아!" 하고 바로 가버렸어요.

그런데 어느 날 이 양반이 회사에서 "어이 저기 어디 저 시내에서 그리 안 멀다네. 근데 거기 뭔 집도 하나 있던데 한 번 가볼까?" 그러더군요. 바로 여기였어요. 이 양반이 허락을 안 해줬으면 못 오지요. 아직 회사 생활을 하고 있는데 출퇴근 문제도 있고 그러니까. 근데 이 양반이 '이것도 인연인가 보다'고 생각했죠. 그래서 "내가 회사에서 어차피 좋은 트럭이 하나 있어야 된다"며 그때 당시 회사에서 새마을저축 그게 없어지면서 다 내줬어요. 그때 500을 받아 갖고 그걸 갖고 이제 트럭을 사서 준비를 한 거죠. 이 집이 말하자면 여수대학교 교수 3명이서 살려고 이 땅을 샀어요. 사가지고 이게 조성을 하는 과정에서 두 분이 빠져버렸지요.

'아직 우리 애들은 나이가 어려서 초등학교 다니는데 도저히 안 되겠다' 싶은 생각이 들고 세 분 중에 두 분이 빠져버리니까 주도했던 한 분인 문○○ 교수님이라고 그분이 혼자서 짊어진 거예요. 그러니까 이 집을 셋이 하려고 했다가 혼자 짊어지려다 보니 토목공사까지 해서 집을 지었으니 빚이 돼버렸지요. 그래서 이 집을 내놨던 거예요. 그걸 보고 제가 왔어요.

□ 말하자면 터 닦기가 일정 정도 돼있던 상황이네요?

○ (아내) 이렇게 터를 닦아놓고 흙이 줄줄 흘러내린 상태에서 집만 하나 딱 지어놨는데 다 흙이었죠. 집만 하나 딱 지어놨는데 제가 계약을 했어요. 이 양반은 그런 계약하고 어쩌고 하는데 회사를 가니까 항상 타이밍이 안 맞아서 제가 해야 됐습니다. 우리가 그때 당시에 또 다시 되돌이가 됐는데 선원동 그 아파트를 그때 보통 9천대에 매매가 되고 있었어요. 그런데 저희 집을 딱 내놓으니까 그 무슨 회사에서 간부인 분이 살겠다고 왔는데 오자마자 계약을 하자는 거예요. 그 일등 공신이 베란다 정문이었어요. 그 실내에 거실에 그렇게 정원이 있으니까 맘에 들었던 겁니다. 그걸 우리가 다 놔두고

251 강장원 님

오는 거 아니거든요. 이사 할 때 다 가지고 와 버리지요.

근데 선원동 금호(APT)가 참 기후가 좋아요. 그 안에서 보는 맨 앞 동이니까요. 그 전에는 기차가 그렇게 다녔었거든요. 이사 갔을 때는 그렇죠. 그래 가지고 '기차가 좀 시끄럽다' 그렇게 생각했는데 어느 정도 사니까 기차 소리가 시끄러운 것도 못 느끼고 지금 기찻길이 없어져버렸지요. 지금은 그거 운동 코스예요. 그래서 참 좋아요. 아주 전망도 좋고. 막히는 게 없으니까. 그 뒤로 이곳으로 온 거예요. 아파트를 판돈으로 여기 집을 사서 이사 왔어요.

여기 와서 보니까는 우리 친정아버지가 오셔서 보더니 "토목공사, 축대공사부터 해야 되겠다." 그러시더라고요. 저희가 이사해서 보니 아무것도 없고 집에 창도 단창, 집이 저희가 생각하는 집은 아니었습니다. 여기는 바람이 많이 분다고 그렇게 얘기를 하더군요. 바람이 불면 바람이 슝슝슝 들어온다고요. 그래서 저희가 오자마자 한 게 창문을 이중창으로 하고 뒤에 주방이 너무 하자가 있어서 집을 손을 봤어요. 그래가지고 위에도 예쁘게 만들고 보기만 좋고 실용성은 없는 거 바꿨습니다. 그 뒤 우리가 살면서 친정아버지가 "그것이 문제가 아니고 뒤에 축대를 해라, 안 그러면 이 집 무너진다"고 그러시더군요. 그건 나중에 했죠. 무너진다고 축대 쌓았는데 그때 당시에 3천만 원이 넘게 들었어요. 축대 쌓은 돌을 웅천 생태 터널 공사하면서 나온 돌을 큰 덤프트럭으로 실어 와서 저기 옆에다 퍼놓으면 작은 덤프가 실어 나를 수 있으니 얼마나 들었겠어요? 그 대신 이 양반이 회사를 다니니까 그 월급 받은 돈으로 다 메운 거예요. 그랬다가 이렇게 다 해놓고 나서 2007년 퇴직을 해가지고 다른 또 회사를 좀 다니다가 남해화학에서 직장 한 5년 더 다녔어요. 그래 가지고 퇴직하고 이거를 이제 시작한 거예요. 옆에 사람들이 이제 막 저기 하면 좋겠다. 어서 차 한 잔 하고 좋겠다. 어쩌겠다. 하니까 그게 그 남의 말 듣고 이제 시작을 한 거지 그래서 이 집을 지었어요. 2008년도 8월에 완공을 했어요.

1년, 8년 해 갖고 했는데 의외로 장사가 잘 되더라고요. 그때 당시 여수에 2008년인 엑스포 전이니까 펜션 개념이 없었어요. 제가 또 펜션에 대한 관련된 책을 또 많이 관심이 있다. 보니까 그래서 이제 여기 이제 방 2개만을 해가지고 왔는데 쉴 새 없이 나가는 거예요. 이게 8월에 전이니까 얼마나 잘나가겠어요. 휴가철이니까, '아 이거 재밌네!' 그래 갖고 한 달간 이제 엑스포가 온다. 그러니까 엑스포 한다고 그러니까 저 맨 가동을 또 지었어요. 그걸 또 지어가지고 이제 지금의 이 규모가 됐어요. 그러면서 2012년도에 주차장 저 아래 아랫집하고 사이에 또 그 축대가 또….

□ 들어오실 때부터 펜션을 해야 되겠다는 생각을 해 오셨어요?

와서 살다 보니까 퇴직하고 '이제 직장 생활 다 그만두고 뭐 하지?' 하는 차인데 다른 사람들 얘기가 그리고 그때 당시에는 모리아도 생기고 막 이렇게 이 전원 카페들이 막 많이 생겼어요. 그러니까 이제 전원 카페 그것도 나름대로 여자들은 또 그런 거 좋아하잖아요. 그래서 '아 그래 그런 거 한번 해볼까' 하면서 이제 시작이 됐는데 하다 보니까 이제 그 민박 펜션 이게 훨씬 더 낫더라고요.

낯선 이웃들과 친해지기 위하여

□ 이사 오셔서 동네 분들하고 어떻게 관계형성을 하셨나요?

지금 그때를 회상해 보면 동네 분들하고 사실은 그렇게 원만한 사이는 아니지만 그런 대로 괜찮게 지냈습니다. 이사 와서 얼마 되지도 않았는데 다른 사람들 얘기를 들으면 적응을 못하고 도로 이사를 나가는 사람들이 있다고 그러더라고요. 저도 여기 동네에서 싸움도 많이 했어요. 여기다가 그렇게 큰 건물을 짓고 그냥 영업을 하기 위해서는 그렇게 저기를 한다고 그러더라고요. 여기까지 차가 못 올라와 가지고 차를 저기 밑에 대놓으면 "왜 그렇게 대놨느냐?"고 항의하는 사람도 있었지요. 그런 것 때문에 상당히 힘들었죠.

□ 말하자면 텃새잖아요. 텃새. 외지에서 들어왔다고….

그런데 이제 지금 생각하면 그런 걸 텃세라고도 볼 수도 없어요. 그 사람들 입장에서는 그렇게 또 얘기를 할 수밖에 없다는 것이 이해가 돼요. 여기 오래 살다 보니까 그 사람 입장에서 보면 그럴 수 있겠더라고요. 하지만 표현하는 것도 좀 좋게 표현할 수도 있고 받아들이게 좀 충분히 수긍이 가게 그렇게 표현을 했으면 괜찮았을 텐데 그러지 않았죠. 그냥 달려들고 그랬어요. 제가 나이도 훨씬 더 먹었는데 함부로 그러더군요.

○ (아내) 이 양반은 도시 한복판에서만 살았던 양반이라서 이 시골 정서와 시골 분들과의 이런 걸 잘 몰라요. 근데 저는 시골에서 크다 보니까 그리고 할머니 밑에서 자랐잖아요. 그러니까 시골 정서라든지 이런 거에 대해서 저는 어려서부터 컸으니까 좀 알고 있었기 때문에 무조건 저희는 처음에 오자마자 여기 동네 들어와서 동네잔치를 해드렸어요. 또 이제 우리 아이들이 대학교를 다니고 군대 가고 그럴 때였는데, 동네 오다가 그때 당시에는 저 밑에서 애들은 차가 없으니까 걸어서 오잖아요. 안 그러면 저기 버스 타고 내려오면 "동네 딱 거기

들어오면 집에 올 때까지 주변에서 누구든지 어른들을 만나면 인사드려라"고 했지요.

또 시골은 제사를 지내면 저도 기독교를 믿으니까 제사음식 별로 안 좋아해요. 근데 저희도 친정에서 제사지내면 동네잔치를 해요. 아침이면 싹 전부 다 오시라고 해갖고 집집마다 모시러 다녔어요. "저희 집에 오세요. 저희 집에 오세요." 그러다 보니까 몇 년 가면은 동네 분들이 "저 집이 오늘 제사요" 다 알더라고요. 그래서 다 오셔요. 그런 유대를 잘해야 되고 저희는 차가 있으니까 가다가도 주차장에 어르신들이 앉아계시면 "어디까지 가세요? 얼른 타세요." 그럼 오다가도 제가 꼭 저기 버스정류장에 저 도깨비시장 앞에 206동 앞에 그거 항상 계시거든요. 우리 보고 와요. 우리 동네 분들 계시나 안계시나 그래서 또 모시고 들어옵니다.

그런데 이 양반은 그때 당시에도 또 회사만 다니잖아요. 그러니까 이제 뭐라고 하면은 또 그런 정서가 저기 하니까 기분 좋게 말을 해주면 "그래요" 그럴 건데 그 사람 벌써 역성부터 시작하거든 근데 그게 용납이 안 되는 거거든요. 그래서 그랬는데 나중에 서로 다 알고 나니까 그런 일이 없어졌지요. 저는 만날 그러지 말고 이렇게 하라고 얘기를 하죠. 지금 잘 지냅니다. 우리 동네 분들이 다른 데 비해 점잖으십니다. 참 좋아요.

강) 제가 여기 와가지고 어촌계장 했지요. 지금은 상수도가

들어와 가지고 상수도 물을 먹잖아요. 그런데 그전에는 상수
도가 안 들어왔기 때문에 지하수를 먹었어요. 지하수를 공동
지하수로 해가지고 지하수를 올려가지고 탱크에 저장해 놓은
거를 각 가정으로 보내서 그 물을 다 먹었거든요. 그때 각
가정에 검침을 해가지고 이거 다 계산해서 수도세를 받으러
다니고 물세를 받는 그 일을 내가 했어요. 그러니까 우리 동네
에서 수도과장을 했죠. 동네를 위해서 뭔가를 일을 해야 되겠
다 하는 마음에서 그런 거 그거 했어요. 그래서 이제 그걸
하다가 이제 좀 시간이 지난 뒤에 이제 그 어촌계장을 또 맡았
어요.

□ 어촌계가 상당히 세잖아요?

어촌 계장을 한 2년 반 동안 하였어요. 어촌 계장을 하다
보니까 여기 본바다 사람들이 있는데도 불구하고 왜 외지에서
사람이 그런 것을 하느냐 하는 것에 대한 반감 같은 것도 있더
라고요. 그런 것에 있어서 내가 좀 그렇지 않아도 '내가 오래
해서는 안 되겠다' 하는 생각은 있었지만 그러던 차에 그만두
게 됐어요. 그래서 이제 그 뒤에 소가사의 문영식 씨가 맡았어
요.

□ 네, 그러셨군요.

지금은 노인회장을 하라고 해서 맡아 하는데 이게 참 이게 참 어떻게 보면 아이러니합니다. 맡으려고 그래 해서 맡은 게 아니라 할 사람이 없으니까 나보고 하라는데 뭐 어떻게 하게 된 거죠.

□ 마을에서 인정받으신 거죠. 이제 완전히 마을 사람이 되셨다는 증거죠.

그래서 하게 됐어요. 지금 노인회장을 벌써 몇 년째 하고 있네요.

○ (아내) 이런 자연 부락 이런 데 가서 살려면 내가 먼저 숙이고 들어가서 그분들한테 맞춰줘야 됩니다. 마을 어르신들이 나한테 맞춰줄 수는 없잖아요. 왜냐하면 아무래도 여기 들어온 사람은 여기 사시는 분들보다는 어쨌든 더 생각을 또 많이 깊게 해야 하는 사람이고 또 좀 더 젊은 사람들이 올 거니까 노인들을 이해하는 방법으로 생각하면서 이분들하고 같이 맞춰가야 합니다. 그런데 그게 아니고 "내 땅에 내가 사갖고 내 집에 와서 사는데 당신들이 왜 그러나?" 이러면 못 살고 나가는 게 100%예요. 그러니까 같이 융화해야 합니다.

□ 여기 들어오셔서 20년 이상 이렇게 사셨잖아요. 그 사이 동네 어르신들 가운데 여러 분이 돌아가시기도 하시고 그러셨을 것 같아요.

네, 많이 돌아가셨죠. 그 사이 동네 어른들이 지금 80대 중반 이런 분들이 많기 때문에 이분들이 이제 연로하셔가지고 할머니들이 혼자 사시는 분들이 많습니다. 그분들이 농사지으면서 이렇게 생활을 하시다 보니까 자기 몸도 가누기 힘든데 그냥 지팡이를 짚고 언덕에 올라가서 농사짓고 하는 사람들이 한 명이 몇 분이 계셔요.

저희가 막 이사 왔을 때만 해도 그냥 지팡이 없이 걷고 허리도 꼿꼿했던 분들이 지금은 허리가 구부러져가고 지팡이 짚고 이렇게 다니면서 언덕에 올라가 밭에서 그냥 농사짓고 하시죠. 이걸 생각하면 한 사람의 인생을 내가 보는 것 같아요. '나도 저 정도 나이 되면 나도 저렇게 될지 모를 텐데' 하는 생각도 들고 지금 그분들이 나한테 주는 교훈이 뭐냐 하면 '지금 너 체력 관리 잘해, 몸 관리 잘해' 이런 겁니다. '이렇게 지팡이 짚고 이렇게 나처럼 다니는 사람이 안 되기 위해서는 너 자신이 체력관리를 잘하라'는 그 교훈을 주시는 거죠. 그래서 그런 면에서 교사로 삼습니다.

259 강장원 님

이웃 중에서 특별히 기억에 남는 분

□ 이 동네에 들어오셔서 사시면서 인상 깊었던 분이 있으신가요?

인상 깊었던 분은 지금 돌아가신 차 회장님이라고 있습니다. 바로 요 아래 차양수 씨 그분이 굉장히 유식한 분이었어요. 그래서 이장님을 하면서 필체도 참 좋으시고 생각도 깨어 있고 그런 분이셨고 포용력도 있고 그랬죠. 비가 오면 이 마을을 논을 다니면서 물이 어디로 흘러가는지 그런 걸 살펴 물꼬를 잡아주고 그러셨지요. 우리가 여기 잔디를 심을 때도 "그냥 무조건 심으면 안 돼. 잔디는 이렇게 심는 거야" 이렇게 알려주고 줄 잡아주고 그러셨어요. 모내기 하듯이 줄 띄워갖고 심어야지 이것을 이렇게 무조건 땅 파갖고 심는 게 아니라고 알려주셨죠. 그분이 진짜 유식한 분이었어요. 저기 저거는 몇 번지 저거는 누구 땅 저기 저기는 몇 번지 누구 집 땅 다 알고 계시더라고요. 평수까지 우리 동네에 땅 지주의 이름 그 땅 넓이 이런 걸 머릿속에 다 알고 계셨어요. 그런데 지병으로 돌아가셨어요. 정신적인 지주라고 해도 과언이 아닐 정도였지요.

□ 혹시 이사 들어오셔서 마을의 내력이나 이런 걸 혹시

들으신 적은 없나요?

　글쎄요. 이 동네에 대한 유래, 동네가 어떤 역사적인 그런 내세울 만한 특별한 얘기는 없는 것 같아요. 사실 여기가 언덕이기 때문에 동네가 형성될 수 있을 만한 그런 위치는 아니에요. 그런데 여기 논이 간척지 논이다 보니까 간척지 농사를 짓기 위해 주민들이 주거용 공간이 필요하기 때문에 여기다가 할 수 없이 이렇게 집을 지은 거죠. 그 옛날 일정 때라든가 그럴 때 만들었는데 지금 생각해 보니까 주거용으로도 참 좋잖아요. 양지 바른 곳이고 언덕이 이렇게 있으니까. 뭐 큰 땅은 아니더라도 조그만 땅이라도 살림을 할 수 있는 그런 집만 있으면 되니까요. 그리고 또 뒤에다가도 전부 다 밭농사를 짓고 그러지요.

　어쨌든 여기는 대부분 논농사 짓는 사람들이고 이런 사람들이 모여서 살다 보니까 뭐 그렇게 크게 이 사람들이 내세울 만한 그런 건 없어요. 단지 그냥 농사짓는 게 힘들어서 그 2세들은 도시에 나가서 공부도 열심히 해 그런 대로 잘던 사람들도 있고 그런 정도지 우리 동네가 특별한 내력은 없어요. 동네에 얽힌 사연이라든지 그런 것은 없었던 것 같아요.

　□ 강 회장님이 이제 노년이지 않습니까, 노년에 접어들으셨고 매일 일상적으로 반복적으로 하시는 일이나 또 노년의 삶에

대한 지금의 어떤 생각을 마지막으로 좀 들려주시지요.

아닌 게 아니라 벌써 70이 넘었고 이 사람(아내)도 60대 중반이 이제 넘었어요. 이 사람도 이렇게 정원 가꾸기 하는 것을 진짜 재밌기는 재밌지만 어느 정도 힘에 부치는 상황입니다. 저는 말할 것도 없고 저는 뭐 크게 농사, 정원 가꾸고 하는 것은 관리하는 게 이게 굉장히 시간이 많이 걸립니다. 거의 다 혼자예요. 지금 같은 때 이틀에 한 번 정도 물을 줘야만 하는 데 보통 물을 주기 시작하면 1시간 이상은 줘야 됩니다. 거의 두 시간 정도 물을 줘야 돼요.

저는 정원 보는 거는 좋아하지만 가꾸는 거는 이 사람이 다합니다. 실질적인 이런 거 다 혼자 다 해요. 좀 줄이자, 숫자를 좀 줄이고 정말로 어깨를 좀 가볍게 하면서 정말로 내가 필요한 거 한 군데 다 모아가지고 여기는 이것저것 꽃이 여러 개 있구나 하는 것에 대한 즐거움 그런 것으로 나가야지 너무 많은 화분이 있습니다. 여기서부터 시작해서 저 끝에까지 그냥 화분이 너무 많아요. 그러다 보니까 이거 관리하는 것이 보통이 아닙니다. 이제는 이제 벅차다는 생각입니다. 그래서 이제 그렇게 하지 말고 한 군데 모아가지고 정말로 내가 아끼는 꽃 내가 보기 좋은 꽃 이런 꽃으로만 해서 좀 나갔으면 좋겠다는 그러한 바람이 있어요.

□ 정원의 꽃 키우시는데 있어서는 좀 의견차이가 있네요.

우리가 펜션이나 이런 걸 안하면, 사실 안 해도 되는데 많은 사람들이 뭐를 보러 오겠어요. 내가 좋아서도 하지만 또 이렇게 해놓으면 오는 사람들 볼거리가 있고, 보여주면서 좋다는 것도 같이 공유하자는 거죠. 그런데 나 그냥 영업 안 하면, 아니 그냥 문 딱 닫고 (영업을) 안 해버리면서 '내가 좋아하는 거 이거 몇 개 심어놓고 그냥 하면 되지' 근데 그거는 또 아닌 것 같습니다. 그래서 이제 오는 손님들이 보면 우리 정원이 이런 걸 보면 '아 참 좋다 정말로 우리 수고들 많이 하신다,' '얼마나 수고 많이 하셨냐'고 그렇게 얘기를 하면 모르겠는데 '이 많은 걸 가꾸려면 얼마나 힘들까,' 그게 말하면 동정어린 얘기가 어떨 때는 막….

우리가 한 200평의 꽃과 정원을 갖고 있지만 어떤 사람들은 "이렇게 넓은 것을 가꾸려면 얼마나 힘들까" 그런 걱정을 하나 봐요. 그렇게 걱정하는 소리 좀 안했으면 좋겠어요.

노년의 '소확행'이라면?

□ 노년의 소소한 즐거움 어떤 것이 있습니까?

진짜 소소한 즐거움이라는 것은 주변에 있는 사람들 비교적 저보다 나이가 한 10년 이상 어린 사람도 있고 비교적 제 나이가 많은 편이에요. 거기에서 보면 최고 고령자예요. 고령자다 보니까 젊은 친구들하고 호흡을 맞추기가 저로서는 힘들어요. 사실은 또 제가 지금 현재 보청기를 꼈지만 이 보청기를 껴야만 대화를 할 수 있습니다. 지금 이렇게 하는 대화는 충분히 100% 이상 대화가 소통이 가능합니다.

하지만 주변에 조금만 소음이 있다거나 주변이 산만해지면 좀 듣기가 곤란해가지고 상대방하고 둘이 앉아서 하는 얘기도 좀 곤란한 경우가 많이 있어요. 주변사람들과의 어떤 소통 면에 있어서 자꾸 이렇게 감도가 떨어지는 것 같아요. 제가 느낄 때 그래서 상대방들도 제가 좀 듣는 것이 좀 약하기 때문에 잘 못 알아듣고 그러니까 좀 약간 거리감 두려고 그러는 것 같더라고요. 아 그래서 저도 많은 사람들이 있는 것은 참 즐거운 것이지만 한편으로는 그런 것이 걱정이 돼요.

○ (아내) 그런 사람 아무 한 말도 없는데 본인이 그리 느끼

는 거예요.

강) 그래서 지금 현재는 가급적 운전도 않고 있어요. 녹내장 이것 때문에 한 쪽은 0.5 한 쪽은 1.0 이게 이렇게 안 나오다 보니까 그것도 약간의 좀 장애가 되더라고요. 그래서 뭐 몇 번의 접촉 사고도 있었고 그런 것 때문에 가급적이면 운전을 안하죠. 다만 손주들 보는 게 진짜 유일한 즐거움입니다. 주변 사람들과의 소통하는 것도 있지만 손주들 보는 거. 그래서 '손주 바보'라는 소리도 듣습니다.

□ 자녀분들은 가까이서 사는가요?

○ (아내) 멀리 서울과 제주에 있어요. 둘 다 서울에 있다가 하나는 며느리가 제주도로 직장을 옮기는 바람에 그리로 갔지요. 아들이 혼자서 한 2년 이상 서울에서 생활하였어요. 그러다가 "저 손주를 봐서라도 제주도로 내려가라, 제주로 내려가라" 얘기 했더니 결국은 내려가긴 내려가더군요. 그러더니 지금은 더 나아요. 제주 진즉 올 것인데 왜 서울에 남아 있었는지 모르겠다고. 제주가 좋답니다.

○ (아내) 사실은 저희 아들 둘이 이제 천안에 있는 호서대학 교에서 그 골프학과를 나왔어요. 둘 다 같은 학교를 다녔어요. 늘 거기를 다니는데 이 사람이 혼자 남겨 놓고 나는 애들 데리고 천안을 다녔지요. 지금 고속도로라도 생겼지만 저 말티고

개를 넘어가야만 천안이거든요. 거기를 혼자 그렇게 애를 데리고 다니고 그래서 지금 생각해봐도 참 신기했어요.

그때는 내비게이션도 없었어요. 그때 그렇게 혼자 아이들을 데리고 학교 찾아가는 건 문제가 아닌데 골프장 골프 시합이 있잖아요. 우리 작은 애가 다 고등학교 때부터 했어요. 고등학교 2학년 때부터 (골퍼를) 시작해 갖고 하는 골프 시합이 있으면 골프장은 전부 다 산 속에 있잖아요. 거기를 찾아가야 했지요. 내비(게이션)도 없는데. 그땐 작은 애도 관련된 일을 하고 있었어요. 그러니까 작은 애는 핑, 큰애는 투어 스테이지라고 거기도 골프용품 만드는 그런 회사인데 거기를 다니다가 이제 월급쟁이가 됐어요. 석교상사라고 일본계 회사더라고요. 투어 스테이지. 그래가지고 거기 있다가 이제 어쩔 수 없이 우리 며느리가 직장이 더 튼튼하니까 우리 며느리에 맞춰서 아들이 내려갔죠.

□ 형제가 어떻게 관심이 비슷했는가 보네요?

○ (아내) 우리 큰아들이 하고 있는데 작은 아들이 테니스 했다, 했잖아요. 작은애가 여도 중학교 여천고에서 테니스를 하다가 "엄마 나도 초등학교 5학년 때부터 테니스를 했어요." 그래 갖고 전남 대표까지를 했어요. 골퍼 할래, 그래서 생각해 보니까 "그래 네가 좋다면 해" 그래가지고는 그때 당시에 뭔

생각이 있었냐면 얘가 고등학교에 다닐 때 저도 생각을 그렇게 했었고 우리도 생각도 그게 맞았었어요. 그러니까 생각이 아들하고 일치했었는데 테니스에서 골프로 바꾼다는 건 어떻게 보면 모험이죠. 고2 때에 "하던 테니스를 그만두고 골프를 시작하라" 그랬어요. 그래서 그때부터 골프를 시작해서 그 코스의 골프학과를 가게 된 계기가 됐죠.

□ 마지막으로 앞으로 계획이나 또는 '우리 마을이 이런 마을이 됐으면 좋겠다' 뭐 이런 이야기도 좀 해 주시지요.

앞서 얘기를 했지만 두 분이 그렇게 어떤 특별한 목적의식도 없이 단지 우리 마을 주민들이 노년에 어떻게 살아갈 것인가 하는, 또 즐겁게 살기 위한 방편으로 이렇게 이러한 일로 수고하시고 다니는 것에 진짜 존경과 사랑을 표합니다. 고맙고요, 이제 앞으로 이런 것이 점차 제도화가 돼가지고 다들 내가 과거에 살아왔던 그 기록을 유산으로 남길 수 있게 됐으면 좋겠다 하는 생각입니다. 저도 이런 것이 상당히 과연 그렇게 효과가 있을까 하는 생각이었지만 어느 누군가에게 수고하는 것이 저 자신한테는 하나의 노후의 기폭제, 인생의 기폭제가 돼가지고 삶을 돌아보게 되고 앞으로 생활설계를 이런 식으로 내가 살아가야 되겠다 하는 것에 대한 아주 좋은 전환점을 주신 것 같아서 정말로 고마웠습니다.

앞으로는 이것(펜션)은 오래 할 것 가야 되겠다는 생각은 없어요. 이곳을 어느 정도 좀 정리하고 좀 규모가 작은 데로 한적한 시골에 가서 그렇게 살았으면 하는 바람인데 그게 어떻게 될는지 모르겠고 그런 마음을 지금 갖고 있습니다. 저도 처음에는 망설였지만 막상 살아온 이야기를 하고 보니까 굉장히 뜻이 있고 좋은 자리였습니다. "우리 마을 다른 어르신들도 기회가 되면 굳이 사양 말고 호응을 하셔가지고 기록을 남겨주셔서 자손들이 볼 수 있게 만들어주셨으면 좋겠다" 하는 게 저의 간절한 소망입니다.

소가사 마을

고(故) 김점심 님(92세)

"나의 삶이 이곳의 역사"

열네 살 때 해방

☐ 어르신, 올해 연세가 어찌 되세요?

아흔 하나.

☐ 몇 살 때 해방을 맞으셨나요?

열네 살 때.

☐ 14살 때 해방이 되셨네요?

꼭 열네 살 때요.

□ 그때 학교를 다니셨다고 했는데 그 학교가 무슨 학교예요?

일본 거석해서 운동을 시켜갖고 훈련시켜 갖고 공출 보낼라고 그랬당께.

□ 아니 그러니까 여학생 어린 소녀들을 데려다가….

그런께 굵은 사람들을, 굵은 사람들을 더 나이 많은 사람들을 넣어놓으면은 얼른 데릿고 가버린께 어린께 우린 안 데꼬 갈꺼라고 우리들은 1학년 같은 데 넣었어요.

□ 그 학교 이름이 뭡니까? 학교 이름이 뭐예요? 소학교라고 그랬어요? 특히 뭐라고 그랬어요?

그땐 소학교라 그러더만.

□ 소학교요?

예.

□ 8살 때부터 다니셨어요?

아니지. 그때 한 몰라. 한 열두 살 됐든가.

□ 12살 때부터. 그때 그 학교가 어디에 있었어요?

대강(덕양)에 있었어. 대강(덕양) 초등학교요.

□ 대강이요? 대강이 어디 있어요? 현천 넘어가서요?

나가 대포가 친정인디 대포에 있는 대강(덕양).

□ 대포에서 대강이요?

대강 여그 요 대강 호수. 대강 소재지.

□ 아, 죽림호수 아니고요?

아녀. 저리 올라가서 그거 역전 있잖아요. 저 대강 역전이라고. 대강 기차 역전.

　□ 지금은 학교가 없어졌죠?

　아 있어요. 시방도 학교가. 그 학교는 노상 있어요.

　□ 지금은 학교 이름이 뭘까요?

　대강(덕양) 국민학교지 뭐.

　□ 대강초등학교, 대강 초등학교, 나 그 이름을 처음 들어보
네요. 거기까지 다니셨네요? 그러니까 대포에서 걸어서.

　예. 그때는 차가 있다요, 뭐 있다요.

　□ 엄청 멀 텐데요.

　그때는 우리들이 애기지. 요새 애들 열네 살이면 크지만
은 우리들이 애기여 그때.

□ 그러죠.

그때는 옛날이라.

□ 그래가지고 친구들이랑 같이 갔어요?

예. 친구들도 있고 그때는 남자들, 머이마들, 머이마들(남자애들)은 굵지. 군대를 갈 정도로 된께. 우리들은 애기고 우리들은 요새 같으면 초등학생이여.

일제강점기 교육받은 이야기

□ 그때 정신대 뭐 이런 걸로 끌려간다고 그러지 않았어요?

그게 끌리강께, 끌려강께로 굵은 애들이 연성소라고 있었어. 연성소. 우리 손우의 애들이 나왔는디 그런 애들은 돌려놓고 우리 어린 것들을 넣었다니까요. 그게 어린 것들은 안 뽑아 갈 꺼이라고. 아즉까지(아직까지)는. 그래서 그랬어요. 이렇게 우리들 어린 것들이 굵은 애들 대(대신)로 돼있는 거여.

□ 그러니까 큰 아기라고 하지 않습니까? 큰 애기들, 큰 애기들은 잡아가니까 숨겨두고 대신 어린 애들은 안 잡아갈 것이다 하고요?

예.

□ 그러니까 거기 가서 뭘 배웠어요?

가서 여성들은 글도 좀 배우다 잊어불고.

□ 일본 글, 말인가요?

예. 글고 훈련이란 게. 밤낮 요런 애기들 치료시기고 그런 거를 식여(시켜).

□ 군사훈련요?

예. 그런 훈련을 시긴다니까.

□ 아, 그래요?

긍께 철도 모르고 따라댕겼지.

□ 일본 선생이 가르쳐요?

예.

□ 그때는 선생이 칼 차고 수업하고 그런 시절 아닌가요?

그때는 순사들이 칼차고 댕겼지.

□ 아니 선생도, 선생은 안 그랬어요?

선생은 안 그랬어. 우리들은 가면 따라나 갔지. 영 그런 건 몰라. 나 나이만 알지.

□ 그러셨구나. 그때의 제 14살이면 우리는 나라를 뺏겼다는 것을 또 다 아는 나이 아닙니까?

그걸 몰랐는가 어쨌는가. 여그는 잘 몰라. 그때는 어린께.

□ 그러니까 해방이 됐을 때는 어땠어요?

해방이 됐을 때는 우리가 만세 불렀지.

□ 뭐 말 타고 도망치던 사람이 있었다면서요?

말 타고 가는 사람은 우리 학교에 큰 길이 있었어요. 큰 길이 가지고, 우리가 학교 온께 막 큰길로 뛰 달아나요.

□ 일본 사람, 도망가요?

예. 도망가요. 막. 여수 연락머리 가면 그때 군함이 있었어. 군함 그걸 타고 갔다 그래.

□ 그런 모습을 봤어요?

(군함) 타고 가는 건 못 봤는디 말 타고 가는 건 봤어.

□ 이제 해방되니까 이제 도망가는구나, 하고 그때 다 보셨

네요? 부모님들이 좋아하고 다 그런 모습 보셨겠네요?

아, 우리 아버지 어머니, 다 봤죠.

□ 막 우시던가요?

아니요. 우리를 뭐 (학교에서) 데꼬 가야 울지. 안 데꼬 갔는디.

일본사람들의 만행

□ 그 고생 고생하면서 그렇게 해방이 됐으면 얼마나 좋았겠어요.

나락을 손 갖고는 일본 사람들이 싹 다 훑어가면서 한국 사람들을 안 줘. 안 주니까 배급을 주잖아. 배급 한 사람 앞에 그 때 몰라 홉으로 줘, 홉으로. 홉으로 주고 우리 친정에 식구가 많았어요. 식구가 많은께 상당히 많고 그래도 가져가면 쬐끔(조금)이여. 밥을 해먹으면 솥에다가 수건이나 너울이나 풀어놔야지 조사를 하고 댕겨.

□ 그거까지 다 조사해요?

암요. 그래서 양석(양식)을 좀 숨겨갖고 저 산에다 파묻어 놓고서 해먹고.

□ 하도 뺏어가니까?

예.

□ 죽도록 농사지어도 다 뺏어 가버리네요?

여기 농사지면 (관기 들판을 가리키며) 요거 일본사람들이 다 만들어 놓은 거여. 일본사람들이.

□ 그러면 대포면은….

대포 큰 논이, 큰 데가 있어요.

□ 거기서 농사 지어놓은 거를 다 뺏어간다 이거죠?

그 (일본)사람들이 와서 다 지켰어요. 지켜 서가고 있다가 (나락을) 홀트믄(훑으면) 싹 갖고 가버려. 그때는 7군데를 놉(일꾼)을 얻으면 한 가마니씩 짚 그런 것을 신겨줄 때가 있어요. 그래 갖고서 살아 세상을 살았어요.

□ 아이고….

그리고 그때는 가뭄이 들어쌓고.

□ 가뭄이 자주 들어요?

가뭄이 들어 농사를 못 짓고. 우리 농사지은 놈은 다 일본 놈들이 싹 갖고 가버려. 하나도 없이 갖고 가버려.

□ 굶기를 밥 먹듯이 했겠네요.

암요. 긍께 밭에 산에 너물(나물) 캐러 댕기지 우리는 어린게 몰라도 어매나 언니들 그런 사람들이 다 해준 일이죠. 밀건 죽이여. 죽. 쌀에다가 너물(나물)이나 넣고 죽을 쒀갖고 울렁하니 그래 갖고 먹고 살고 그랬어요. 긍게 개도 못 먹고 살았지 그때. 개도 못 먹고 살고.

□ 세상에.

지금 같이 좋은 세상이 어디가 있다요. 뭐 나가 노력하면 돈이 귀헐까. 묵고 사는 게 힘들까. 그때는 먹는다는 건 저 짐치(김치)나 먹고.

□ 그래서 사람들이 영양실조 걸려서 많이 죽지 않았어요?

그래도 빙(병)이 들어서, 그렇게 나쁜 거 먹어서 빙이 들어서 죽지 않데요. 요새 잘 먹응께 죽어.

□ 아니 애기들 태어나서 젖이 안 나와갖고 죽었다든가, 뭐 그러진 않았는지….

애기들도 그때는 홍역을 많이 해갖고 홍역에 죽어요.

형제자매 이야기

□ 그랬구나. 어르신 형제들은 어떻게 되나요?

칠남매요.

□ 저랑 똑같네요.

칠남매인디 여자 형제가 삼형제, 남자가 사형제, 칠남매를 우리 어머니가 낳는디 우리 아버지 우리 어머니 그때 고생도 많이 했어. 그때 세상에.

□ 그러셨구나.

애기들도 많고.

□ (일본놈들이 곡식을) 다 뺏어가고 또 가족들 입은 많은데 어떻게 다 키우셨답니까?

긍께로 죽을 쑤면 솥을 하나씩 쒀야 되고 그랬어요. 식구가 참 많았어요. 식구가 하여튼 열다섯 명이나 그랬어. 식구가 많았어.

□ 7남매에다가 부모님, 할머니와 할아버지 다 해서 그랬군요.

또 올케, 올케도 애기도 낳고, 올케는 애기 안 낳다. 올케가 그때는 안 왔구나. 아니다. 우리 올케 왔구나. 나 야답살(여덟살) 먹어서 우리 올케가 왔구나. 혼야답살 먹어서 혼야답살 먹어서 우리 올케가 왔는디 시방까지 살아갖고 있어. 그 올케가. 시방 올해 백 살일까.

□ 그러니까 1945년 8월 15일 해방되고

8월.

여순사건, 그리고 한국전쟁(6.25) 이야기

□ 해방되고 그 다음에 48년 10월에 여순사건이 터졌어요. 여기서 그때 주변에 어려움 겪으신 분 없어요?

우리들은 동네가 참 커요. 대포 동네가 큰 동네라도 그런 사람이 없었어. 저 건네 동네라고 있었어. 그 동네는 그냥 군인이 거석이를 했어. 그때 군인 수색을. 그 사람 집에 불을 탁 질러놓고 "저거 배기냐(보이냐) 안 배기냐?"

□ 아, 집에 불을 질렀어요?

예. 불 질러불고 그때 총살시키고. 인간은 이전에 본 사람도 다 못시게(못쓰게) 되고 그랬어요.

□ 아이고. 그런데 어르신이 사는 동네는 그래도 안전했네요?

예. 그 동네는 큰 동네라 안전하고, 사람을…. 그런 소리 들었을 거요. 이 들에다가 싹 갖다 시워요(세워요). 집안에 있는 사람 하나도 없이. 집안에 있는 사람은 총살시게(시켜). 집안에 들어앉은 사람.

□ 아, 다 나오라고 해갖고 안 나온 사람은 죽여요?

예. 여기 그 반란 때. 그래 갖고집이가 하나나 제 백혀(박혀) 갖고 있으면 그 사람은 빨갱이라고 난리 나지. 그래 갖고 (주민들을 들에) 싹 갖다 앉혀놓고.

□ 혹시 아시는 분 중에 그때 죽은 사람 없어요?

나는 안 봤어요. 여기 현천이나 그 동네는 많이 죽었어요.

□ 직접 총 쏴서 죽이는 모습도 보고 그러셨어요?

그런 건 안 봤어요.

□ 이야기만 들으시고….

예. 동네는 큰께, 동네는 커도 깨끗해갖고 그런 사람이 하나도 없어 갖고 그런 거는 안 봤어. 매 맞고 그런 것도 안 봤어요. 근디 여기 현천에는 요쪽으로 시집을 온께 그때 그런 사건이 많이 났다 그러데요. 그런 소리만 들었어.

□ 여기로 시집와서 들으셨구나. 그 대포에 사실 때는 모르셨고.

열여덟 살 때 반란이 났고 19살에 시집을 왔는디 또 육이오가 나데.

전쟁 이야기, 혹은 전쟁 같은 난리 이야기

□ 6.25 때는 어디로 피신 가셨어요? 피난 가셨어요?

우리들은 안 갔어요.

□ 그냥 있었어요?

있었어요. 불도 못 쓰고. 불도 못 쓰게 했어요. 불도 못 쓰고 "불 쓰면 비행기가 막 폭탄 던진다" 그때 그랬거든.

□ 그러니까 6. 25 때 말하자면 인민군들이 여기 여수도 다 장악을 해버렸지 않았습니까?

그래도 여수 저 역전머리는 막 다 철거했지. 그때.

□ 그래도 그때 해코지를 안 당하셨어요?

예. 그래도 여수가 그대로 괜찮고 넘어갔지.

□ 아이고, 일제시대 넘기고 여순 사건 넘기고 또 6.25 겪고….

많이 겪었어. 난리 난리 많이 겪고 숭헌 일도 많이 겪고.

□ 근데 직접적으로 막 사람 죽이고 그런 건 못 보셨네요. 그래도 다행입니다. 본 사람들은 그게 평생 간다고 하더라고요.

그런 거 하나도 안 봤어요. 동무 간들이고 뭐고 다 거석하고 깨끗해 갖고 그런 것은 하나도 없었어요.

□ 그러셨군요.

근데 우리 동네는 이렇게 있는디 저 건네 그 동네에 불 탁 쳐 대놓고 "저거 뵈기냐, 안 뵈기냐?" 그놈들이 그러더라고요.

□ 뭐가 보이냐 안 보이냐?

불 써놓은 거 보이냐, 안 보이냐? 그 군인들 집이라고 불을 대 버린께. 즈그들이 불을 대놓고는.

□ 인민군들이요?

아니지.

□ 누가 불을 지른 거예요?

'서울부대'라고 그랬거든. 그때. 서울부대. 서울에서 막 무슨 군인들이 모여 내려와갖고.

□ 6.25 때 말씀이시죠?

반란 때, 반란 때.

□ 아, 반란 때. 서울부대가 불 질렀다고요?

서울부대 무서웠어. 옷도 뻔듯뻔듯 해갖고 그냥 무서웠어요. 그 뭘 헐라고 나한테 물어보요?

□ 아니 그런 것들을 우리 젊은 사람들이 모르잖아요. 그래서요.

그때 사람 죽고 그런 거도 안 보고 매 맞는 것도 안 보고 그랬어요.

□ 그 불 지른 것만 보셨네요? 군인 집을 불 질렀어요?

예. 그때 신월리 군인하고 인민군들하고 그 사람들은 하여튼 신월리서 (사건이) 났잖아요?

□ 그렇죠. 거기에 부대가 있었으니까. 그걸 서울부대라고 불렀네요?

서울부대는 따로 있어. 서울부대는 서울서 내려온 서울부대고. 거그(신월리)는 반란사건이다.

□ 거기 14연대가 있었지 않습니까? 신월리에.

신월리에 있었어.

□ 근데 14연대가 아니라 서울부대가 불을 질렀다고요?

서울부대가. 이 사람들(14연대 군인들)은 쫓겨 댕기지. 쫓겨 댕기다가 잽피 가고 그건 얘기지.

□ 너희도 잘못하면 저렇게 불 질러 버린다, 그렇게 협박을 해요?

아, 저런 거석이 있어 불 지른다고. 긍께 저거 불 딱 들고 서 저거 뵈기냐 안 뵈기냐 근다니까(그런다니까). 뵈긴다, 그러면 또 난리 나니까 모르는 거맹이로 눈을 감아버려야지.

□ 아….

온 동네 사람 많은 사람을 논바닥에 앉혀놓고, 논바닥에서 전부 나오라고 해서….

□ 그 불 지르는 모습을 보라고 해서 그때 그냥 고개만 숙이고 계셨어요?

막 억압적으로 막 거석을 해요. 팰 것 맹이로(때리려는 것처럼) 막 "저런 사건이 있냐, 없냐"고 그러고 사람들을 잡친 당께(족친다니까).

□ 그 동네 사람들이 그냥….

깨끗하게 넘어가 놓은께. 아무것도 없고 맞은 사람도 하나도 없고, 그러고 넘어가.

□ 아, 대포 사람들은. 그 불타는 모습이 거기 대포 동네에서 보이네요?

보여요. 대포에서 보면 남해천이라고 그거 있어요. 남해천이라고.

나의 역사가 이곳의 역사

□ 그 일을 지금 어르신은 겪었지만 겪지 않은 사람 모르거

든요. 그거 다 잊어버렸지 않습니까?

여기 사람들은 하나 몰라요. 그런 거 안 봐논께. 다 어리고.

□ 그러니까요. 얼마나 그때 겁이 나셨어요? 군인들이 내려와서 그러고 있는데.

무서워요. 군인들도 막 칼을 차고 번들번들 해갖고 이상스럽게 텔레비(TV) 보면 군인들이 누렇게 입은 거 왜 있잖소. 그래 갖고 내려오면 무섭습디다.

□ 그때 동네 사람들이 몇 분이나 논바닥에 있었어요? 그 당시 논바닥에 나온 사람들이 몇 분이나 됐어요?

온 동네 사람이 다 나왔어요. 남자고 여자고 다.

□ 큰 동네니까 한 200명 됐습니까?

2백 명 더 될 거요. 온 동네 사람이, 그때 대포 동네가 무장이 큰 동네요.

□ 그럼 한 500명?

몰라. 한 500이 되는가 6백 명 되는가 그거는 모르고, 이제 철을 타고 보니까 우리는 이제 그때는 아직 철도 모르지 뭐. 아무리 열여덟 살 먹었다 해도 무섭고 그러니까. 어찌 쳐다도 보지 못 하고 나오라니까 싹 나와 갖고 있었던 거지 뭐.

□ 아, 몇 시간이나 앉아 계셨어요?

몰라요. 이리(이렇게) 조사를 받아가 언제나 보내줬는가 몰라 그런 것도.

□ 그때 사람 막 때리진 않았어요?

때리진 않았어. 죄가 있어야 때리지 아무 것도 아닌 것들이 때리는 거 맞고 있을 거요. 죄도 하나도 없는데.

□ 이야기 잘 들었습니다. 그래도 어르신은 정말 어려운 나라의 사건들도 잘 헤쳐 나오고 그러셨네요. 그때는 다 고생인데 그래도 큰 탈 없이.

소라면 가사마을과 구술한 어르신들

큰가사 마을

소가사 마을

농곡 마을

강장원 님 부부

295

지정자 님

면담자 박명자님과 구술 중인 정옥자 님

고(故) 김점심 님

옛날에는 사는 게 다 그래

 가사마을 어르신 네 분의 살아온 이야기

발 행 | 2022년 11월 25일

저 자 | 구술자: 강장원, 정옥자, 지정자, 김점심.

면담 및 편집: 류판식, 박명자, 이인미, 정병진

사 진: 정병진

펴낸이 | 한건희

펴낸곳 | 주식회사 부크크

출판사등록 | 2014.07.15.(제2014-16호)

주 소 | 서울특별시 금천구 가산디지털1로 119 SK트윈타워 A동
       305호

전 화 | 1670-8316

ISBN | 979-11-410-0342-5

이메일 | info@bookk.co.kr

www.bookk.co.kr